# Minorías Étnicas de China

Xu Ying y Wang Baoqin

Editorial 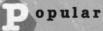 **P**opular

La primera edición de este libro fue publicada por
China Intercontinental Press en la colección Journey to China
con el título *Ethnic minorities of China*

© Editorial Popular, Madrid, 2012
C/ Doctor Esquerdo, 173 6º Izqda. Madrid 28007
Tel.: 91 409 35 73 Fax. 91 573 41 73
E–Mail: popular@editorialpopular.com
http://www.editorialpopular.com

© China Intercontinental Press, 2007

Traducción: Miguel Sautié
Diseño de colección: José Luis del Río

Photo Credit: Imagine China, China Foto Press,
Hong Kong *China Tourism*, FOTOE, Feng Tao

Imprime:

ISBN: 978-84-7884-527-9
D.L.: M-24713-2012

Impreso en España - Printed in Spain

# Contenido

# Prólogo

China tiene una larga historia y una civilización que ha contribuido de manera importante a la evolución de la humanidad. Es también una nación multiétnica. Las culturas de sus componentes étnicos conforman una parte vital de la civilización china. Actualmente, las 56 nacionalidades, incluyendo la nacionalidad Han, viven en los 9,6 millones de kilómetros cuadrados del territorio chino. Aunque 55 minorías étnicas representan el 8,41% de la población china, están muy diseminadas en el 50% al 60% de su territorio, fundamentalmente en mesetas, praderas o forestas.

Las regiones donde residen las minorías étnicas se caracterizan por sus magníficos escenarios: montañas colosales, bosques insondables, grandes ríos y lagos con abundantes recursos naturales. Junto al pueblo Han, estas minorías han contribuido al desarrollo de la civilización china con sus propias culturas fascinantes.

Entre tales minorías, 53 tienen sus propias lenguas, de estas 21 usan sistemas de escritura, y casi todas tienen sus propias creencias y festivales. Las 21 minorías étnicas incluidas en este libro son representativas de las diferentes regiones y culturas habitadas por los grupos minoritarios de China: los tibetanos, los qiang, los tu de la meseta Qinghai-Tibet, los daur, ewenki, hezhen y mogoles en el norte de China, los dai, dong y miao en el sur, y los uigures, kazajos y hui en el oeste de China. Sus hermosos trajes con accesorios únicos, sus diversas costumbres alimentarias, tradiciones asombrosas, sus festividades y sus historias constituyen elementos significativos de la civilización china. Tal diversidad es la base a partir de la que China, como nación multinacional, continúa desarrollándose.

Cuando usted viaja a los «hogares» de estas familias de China, hallará que sus vidas y costumbres son sumamente fascinantes y sus culturas, antiguas y misteriosas. No importa de dónde usted proceda, no dejará de maravillarse. Comencemos nuestro viaje ahora.

# Los mongoles:
# El pueblo que anda a caballo

- ✔ Vida nómada en las praderas
- ✔ Las tres habilidades necesarias de los varones mongoles
- ✔ El antiguo *Urttin duu* (canción larga)

El pueblo mongol era una de las tribus nómadas de las praderas del norte de China. A comienzos del siglo XIII, los mongoles liderados por Genghis Khan, unificaron todas las tribus que habitaban la meseta mongola, y formó así un grupo, la nacionalidad mongola. Hoy en día, los mongoles de China viven en la Región Autónoma de Mongolia Interior, así como en las regiones autónomas de Xinjiang, Qinghai, Gansu, Heilongjiang,

Los rebaños de ovejas y vacas que deambulan por los pastizales son como nubes blancas que flotan en el cielo.

Jilin y Liaoning –con 5,81 millones de personas en total.

La antigua Meseta Mongola conecta las montañas de Changbai y el río Heilongjiang en el este, las montañas Tianshan y la cuenca de Tarim en el oeste, las vastas praderas siberianas en el norte y las montañas Yinshan en el sur. Geográficamente, la Meseta Mongola posee un clima seco de pradera. Como sucede en el norte de China que es alto, frío, seco y de frecuentes nevadas, la meseta no es idónea para la agricultura. Por esta razón, la cría de animales ha sido la base del pueblo mongol, el fundamento más sólido de su vida. Por cientos de años, los mongoles han tenido la costumbre nómada de migrar siguiendo el pasto y el agua, dejando sus huellas en muchos pastizales de la nación. Vivían en *yurtas* que podían ser fácilmente instaladas y desmontadas. Actualmente los mongoles viven en casas de ladrillo o barro, y el turismo de las praderas se ha convertido en una pasión.

*Naadam* en mongol, significa diversión y juegos. Todos los meses de julio o agosto, se celebra un Festival *Naadam* en las praderas como una antigua costumbre, una competición deportiva de combate, tiro con arco y equitación. Estos días son muy ricos en actividades, y además de la celebración por una buena cosecha, el festival incorpora actividades comerciales.

La lucha tradicional, el tiro con arco

La carreta tirada por bueyes Lele se considera como un «barco de las praderas» que armoniza perfectamente con el entorno local.

Fácil de transportar, de desmontar y a prueba del viento, las *yurtas* blancas como la nieve son refugios ideales para los pastores en las praderas de Hulun Buir.

La *yurta* es esplendorosa y colorida en su interior.

y la equitación se consideran todavía tres habilidades necesarias para los mongoles.

La lucha es probablemente el deporte más popular y querido entre los mongoles. Después de que Genghis Khan se hiciera líder de todos los mongoles, hizo de la lucha el criterio para seleccionar a los generales. Para el mongol promedio la lucha es un importante evento en sus días festivos. El resultado de un combate no depende del peso del luchador. Según el estilo mongol, uno pierde si tres partes del cuerpo encima de la rodilla tocan el suelo al mismo tiempo. Los vencedores ganan títulos como «gigante» para quien venza a todos sus rivales durante dos años, u otros de menor rango como «león», «elefante» o «águila». En la historia, fue más que una competición deportiva, llegó a ser un método para escoger al yerno. Para los mongoles, la lucha es un deporte de fuerza, coraje y sabiduría.

Los luchadores pueden viajar largas distancias hasta el festival *Naadam*. El campeón se granjea el respeto del pueblo y la admiración de las jóvenes. El certamen de lucha consiste en una serie de eliminaciones con solo una ronda

Altos y fuertes, los luchadores mongoles usan vestiduras muy características.

entre dos luchadores. Los luchadores usan botas altas, chaquetas de cuero con púas metálicas decorativas, pantalones muy holgados y cintas de seda rojas, amarillas y azules alrededor de sus cuellos. Bajo el estruendoso aplauso de los espectadores, acechan con «ademanes de águila» por los alrededores de la palestra, luego con seguridad entonan un canto de guerra. El vencedor recibe un premio: una oveja, bolsas de té, o incluso un hermoso semental.

Adoran igualmente las razas equinas. El pueblo mongol tiene la reputación de ser «una nacionalidad ecuestre». Los caballos, una parte fundamental de sus vidas, son indispensables en todo lo que hacen, sea en la lucha, la caza, el pastoreo o en el comercio. Los mongoles aprenden a montar caballos cuando son muy jóvenes. Un elevado grado de habilidad en la equitación les abre paso en la vida. Gracias a sus magníficas razas equinas, pueden hacer gala de sus más primorosos ejemplares y alcanzar sorprendentes habilidades para la doma y las carreras de caballos. Los dos tipos de razas hípicas se distinguen por el galope o el trote. La última es solo para adultos con cualidades sofisticadas – apariencia hermosa, modo de andar estable y más rápido que los otros. Mientras que la raza galopante puede tener muchos ejemplares juveniles. La competencia es simple: el primero en terminar la carrera se ganará el premio y los elogios.

Los hombres mongoles han sido muy hábiles en el tiro con arco durante generaciones.

Viaje en camello

Los arcos y las flechas, necesarios para la batalla y la caza, han sido adorados desde tiempos antiguos y representan la virilidad. El tiro con arco y la carrera de caballo con constituyen una parte importante del Festival *Naadam*. La competencia de tiro con arco tiene dos modalidades, tiro con arco de pie y tiro con arco sobre caballo; estas difieren en el alcance, en los modelos de flechas y arcos, en el peso y la altura así como en la fuerza de tiro. El tiro con arco sobre caballo se realiza en plena carrera. Valerosos mongoles, con vestiduras de mangas estrechas,

doblan sus arcos para disparar mientras cabalgan sobre sus caballos. Algunas veces, varios arcos pueden ser disparados. Las proezas de estos excelentes tiradores son ovacionadas estrepitosamente por los espectadores.

El pueblo mongol canta una tonada única llamada *Urtiim duu* (canción larga), una antigua forma característica de la cultura nómada y de la tradición local en las praderas donde viven. Cada línea de la canción tiene dos partes, improvisada por cantantes desde sus experiencias cotidianas y sus emociones e interpretada según ritmos diversos. La mayor parte de las letras de estas canciones tienen como tema principal la belleza de las praderas, los caballos finos, manadas de camellos, ovejas o bueyes, el cielo azul, las blancas nubes, los ríos y los lagos. Generalmente, el *Urtiim duu* cuenta con el acompañamiento de un instrumento de cuerdas mongol llamado *ma tou qin* (violín de cabeza de caballo). El *Urtiim duu* tiene poca letra pero una larguísima instrumentación, su música es melódica y expresiva. Es característico de esta forma musical que el cantante puede cantar en tonos altos y bajos al unísono, una técnica llamada *hu mai*. El *Urtiim duu* es visto como una reliquia viviente de la música folclórica mongola.

Por cientos de años, el pueblo mongol ha cantado el *Urtiim duu* dedicado a la vida, a la Madre Naturaleza y a un futuro de prosperidad. Cuando se escuchan en las praderas el melodioso y expresivo *Urtiim duu* y el canto *hu mai*, ambos expresión del alma de la música mongola, se siente el especial encanto de los pastizales en sus más finos detalles.

# Los herzhen: las canciones de los pescadores del río Wusuli

✔ Pescar en todas las estaciones
✔ Ropas de piel de pescado y embarcaciones de corteza de abedul
✔ Pintorescos trineos tirados por perros

En la cuenca baja del Heilongjiang, por los ríos Songhua y Wusuli reside una antigua etnia dedicada a la pesca y la caza, el pueblo hezhen. Herzhen significa dos cosas, pueblo del este y pueblo que vive en las riberas. Hoy en día, los herzhen suman alrededor de 4.000 individuos y viven en la provincia Heilongjiang.

En esta región, las montañas son altas y los bosques espesos, los ríos y lagos son abundantes; todos proporcionan

El pueblo herzhen vive de la pesca. Cuando el río Wusuli está bloqueado por el hielo, usan redes especiales para pescar.

Cada uno de ellos es un maestro de la pesca.

condiciones favorables para la pesca y la caza. Hasta el presente, el pueblo herzhen reside en las márgenes de los ríos donde practican una pesca de subsistencia. Casi todos ellos, viejos y jóvenes, hombres y mujeres, son buenos pescadores con habilidades heredadas de sus ancestros. Sus herramientas son simples como las fisgas, los ganchos y las redes. Sus técnicas para la pesca en un río congelado son increíbles; horadan el hielo no solo por peces sino por entretenimiento. En primavera, pescan todo tipo de pez. En verano, reparan sus avíos de pesca para que estén listos en otoño, la larga y dorada estación de la cosecha. Durante esta estación, pescan todos los salmones y esturiones que quieren. En invierno, horadan el hielo para capturar peces con sus redes en el río helado. Los peces ocupan todos los aspectos de sus vidas. En el pasado, los herzhen calculaban su edad por el número de veces que habían ingerido salmón. Los peces también son importantes para los niños, cuyo juego tradicional consiste en remedar a los pescadores cuando «fisgan o arponean» los peces.

El pueblo herzhen se destaca por su excelente cocina basada en el pescado, en la que hornear o freír la carne de pescado es tradicional. Se distinguen por una costumbre única cuando reciben a sus invitados: ensartan un pescado con un cuchillo y se lo presentan ante su boca. Si el huésped no vacila y lo coge, es considerado un amigo genuino y será agasajado calurosamente. De lo contrario, se le niega su entrada a la casa. La ingestión de pescado crudo es también costumbre de ellos. La carne cruda de pescado es a menudo brindada a sus huéspedes y parientes, preparada en agua hirviente y acompañada de patatas cortadas en trozos, cebollinos chinos, pimienta, vinagre y sal.

El pescado no solo les sirve como fuente de alimento sino como material, junto con otros animales terrestres salvajes, para confeccionar sus vestimentas. Los herzhen usan ropas hechas de cuero de corzo, con dos líneas de botones de espina cosidos al frente. Las mujeres herzhen usan vestidos talares de piel de pescado y cuero de vena-

Los peces secos se conservan para ser ingeridos en el futuro.

do, parecidos al *cheongsam* mandarín[1] Hombres y mujeres usan botas de piel de pescado adecuadas para la caza y la pesca. Hacer ropa de piel de pescado no es fácil. En primer lugar, el pez es desollado, luego la piel se golpea y amasa repetidamente hasta que se hace muy suave; luego esta es sometida a un proceso de tinción con flores salvajes de diferentes colores. Incluso el hilo para coser está hecho de piel de pescado. Las ropas de piel de pescado mantienen el cuerpo cálido de quien la usa y es muy duradera, impermeable y atractiva.

El pueblo herzhen no puede prescindir del agua y los peces. Rara vez abandonan los ríos para ir a otros lugares. Para cazar, pescar y visitar a personas de otras aldeas, usan embarcaciones como medio de transporte. Sus barcos son singulares, están hechos de corteza de abedul, algunos son para viajar y otros para transportar mercancías. Aquellos para viajar son muy ligeros y pueden ser fácilmente acarreados a otro río. Los barcos para viajar no pueden transportar muchos objetos, están fabricados para

1  Vestido hasta las rodillas ajustado al cuerpo con un cuello mandarín y falda estrecha. (N. del T.)

Procesamiento de la piel de pescado con una sierra única de madera

que una o dos personas viajen con rapidez o para la pesca. Sin embargo, los barcos para transportar cosas, muy populares en el siglo XVII, tienen una gran capacidad, con una quilla de pino recubierta con corteza de abedul. Pueden ser tripulados por 15 personas que lo mueven usando remos para viajes más largos.

En la China del noreste, donde los herzhen viven, el invierno es largo, helado y nevoso. Los trineos tirados por perros son medios de transporte terrestre ideales. Como los barcos, los trineos tienen dos funciones: los usados para el transporte son más grandes, mientras que los que se emplean en la pesca, son más pequeños. Al menos dos, y con mayor frecuencia siete, ocho o incluso doce perros constituyen la fuerza de tracción. La correa principal de tiro es para el perro que va a la cabeza, con las otras se enlaza el resto de la jauría. El perro líder debe ser entrenado para su trabajo. Los trineos pueden deslizarse suavemente sobre la tierra cubierta de nieve o sobre un río congelado. Para viajar por un bosque cubierto de nieve, los perros han de usar calzados especiales para protegerse de las heridas. Un perro puede tirar de 40 kilogramos de peso; y alrededor de una docena puede acarrear la mitad de una tonelada. Los trineos tirados por perros son el medio de transporte favorito de los hezhen en invierno y por su ligereza se recorre con ellos 100 kilómetros en un solo día. Actualmente, los trineos poseen una nueva función: los turistas adoran montar en ellos.

Los herzhen son gente simple y laboriosa que ama la música. Todos pueden cantar, acompañados por su *Kong kang ji* tradicional, un tipo de armónica. Sus canciones sobre los trineos y los barcos expresan el amor por su patria, sus recuerdos del pasado y sus ansias de un futuro feliz.

Una mujer herzhen con su ropa tradicional de piel de pescado.

# Los daur: una práctica milenaria de hockey

✔ La tierra del hockey
✔ Chaman: Un puente hacia lo sobrenatural

Las casas tradicionales de los daur en la "Tierra del hockey".

El pueblo daur reside a lo largo del río Nenjiang en el noreste de China, practica la agricultura, la cría de animales, la pesca y la caza. Actualmente, los daur residen en sus comarcas autónomas situadas en Mongolia Interior, Heilongjiang y Xinjiang, y constituyen una minoría étnica de 130.000 individuos..

Gracias a los registros históricos, los daur guardan relación con los qidan (Kitan), quienes vivían en China septentrional en tiempos antiguos. ¿Descienden del pueblo qidan? Nadie lo sabe con certeza. Lo que hace tan famoso a este grupo étnico es su deporte tradicional: el hockey, un deporte que se puede hallar actualmente en muchas naciones. El hockey es el orgullo de los daur.

Los daur tienen una larga historia de práctica de hockey. Durante la dinastía Tang (618-907), el deporte fue
llamado *bu da qiu*. Durante las dinastías de los Song (960-
1279) y los Liao (917-1125), el pueblo nómada qidan al
norte de China comenzó a practicarlo en una forma simi-
lar al juego actual. La práctica de este deporte se perdió
en otros grupos étnicos, pero siguió siendo popular entre
los daur, y lo llaman *bei kuo*.

Cuando trabajan en el campo, con ramas de árbol que
hacen como palos de hockey y boñigas de caballo como
discos improvisan un juego durante el descanso. En todas las vacaciones, es indispensable el *bei kuo* asistido
por jugadores experimentados de todas las tribus. Un
partido por la noche es espectacular: el disco refulgente,
echando chispas al viento, vuela de un lado a otro sobre

Empaquetando soja para la
venta.

el caliginoso fondo del cielo nocturno. En años recientes, al hacerse popular en China este deporte, muchos buenos jugadores han dejado sus tierras para jugar por la nación.

El hockey está estrechamente relacionado con sus vidas. Cuando una muchacha se casa, le regalará un hermoso palo de hockey a su novio. Los daur tienen muchas expresiones relacionadas con este deporte, «No arrojes tu sombrero como un disco de hockey», «No es muy útil excepto para el palo de hockey» o sarcásticamente, «no sirves para nada si no sabes jugar al hockey»

Además del hockey, los daur están fuertemente influidos por el chamanismo, una palabra que procede originalmente de los nüzhen (Nurchen), que significa «una persona poseída por una fuerza natural». Las prácticas del chamanismo primitivo incluyen la adoración de la naturaleza, el trueno, el relámpago, los ríos, los árboles, el fuego, las rocas, el reno, las águilas y los pájaros –todos los cuales son sobrenaturales para el pueblo daur. Para armonizar su relación con las fuerzas sobrenaturales, el pueblo daur necesita a alguien que actúe como comunicador. De esta faena se encargan los chamanes, quienes tienen la capacidad de guiar al ser sobrenatural del cielo,

*Una mujer daur y su bebe sobre una cama kang (N. del T.: plataforma de madera o mampostería, en invierno calentada con fuego debajo y cubierta de esteras para dormir) mece a su bebé en un canasto que cuelga de una viga según la tradición.*

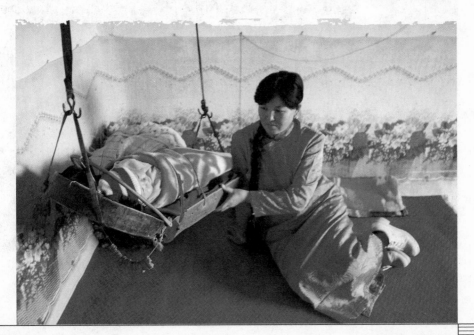

Competencia de fuerza.

Danza del chamán.

curar a los enfermos, exorcizar a los espíritus malignos. Por estas razones, el pueblo daur tiene en gran estima a los chamanes.

El pueblo daur ha tenido poco contacto con el mundo exterior, y esto contribuyó a que el chamanismo fuera transmitido de generación en generación en su forma primitiva. En una celebración, en una ceremonia de adoración, o cuando alguien está enfermo, un chamán es invitado para que esté presente como una *figura* clave en estos eventos. Cuando un chamán conduce un servicio, usará una vestimenta espectacular y objetos rituales para protegerse a sí mismo mientras ejerce su poder. Este atuendo ostenta moldes simbólicos de criaturas vivientes, y alrededor de 10 espejos de bronce. Con estos objetos, el ropaje puede llegar a pesar hasta 75 kilogramos. En un ritual, él danza en derredor de manera ominosa llevando a cuestas una baqueta con la que golpea constantemente un tambor, lo que hace con el fin de mostrar respeto a los seres sobrenaturales y espantar a los espíritus malignos. Para el pueblo daur, el tambor que lleva a cuestas es tan poderoso que todos los demonios serán ahuyentados con su toque. Presenciar tal ritual es una experiencia excepcional.

# Los ewenki: La última tribu de cazadores

✔ Buscado al reno por doquier
✔ Fascinación por la corteza de abedul

**B**osques primigenios cubren la Gran cordillera Hinggan en el noreste de China. En la profundidad de los bosques habitan los ewenki, quienes viven de la caza y la cría de los renos. Son los últimos pueblos que aún viven de la caza en la China actual. En razón de los cambios ecológicos, la caza ha sido reemplazada por la cría de renos como componente principal de sus vidas. Su

Los renos constituyen la principal fuente de sustento de los ewenki.

Ellos adolecen de un profundo «complejo del reno»

cultura basada en el reno ha durado varios miles de años. La mayor parte de los ewenki, 30.000 en total, viven en la Región Autónoma Ewenki en Mongolia Interior, algunos residen en la provincia Heilongjiang junto a otros pueblos, como los han, los mongoles y los daur.

«Ewenki» significa «gente que reside en grandes montañas y bosques». Hace 300 años, el pueblo ewenki vino de Rusia y se estableció en la Gran Cordillera Hinggan, dedicándose a la caza. Por cuanto el reno es una parte importante de sus vidas, se les conoce también como el «pueblo del reno».

¿Desde cuándo crían renos? Nadie lo sabe con certeza. Pero sus ancianos creen que esta práctica es tan vieja como su historia. El reno posee enormes cuernos con muchas ramificaciones. Caminan fácilmente en marismas y en la nieve y se alimentan de musgos en los bosques. El

Los renos son buenos medios de transporte en los bosques y en los suelos pantanosos, para montar y transportar mercancías.

musgo es una planta pequeña que crece durante todo el año en las laderas occidentales de las montañas, donde predomina un clima frío y húmedo. El crecimiento lento del musgo y la fragilidad de la ecología del bosque impiden que los ewenki mantengan grandes grupos de renos.

Los ewenki tienen que migrar con frecuencia. La migración es significativa en sus vidas y también un espectáculo maravilloso. En verano y otoño, no permanecen en un sitio por más de 10 días. En invierno, una temporada de caza de los ratones de campo, se desplazan cada dos o tres días. Usualmente, los hombres van a un nuevo lugar para construir una cabaña con forma de sombrilla con 20 ramas gruesas de pino, una cabaña de 3 metros de altura y 4 metros de diámetro. En verano, la cabaña se cubre con corteza de abedul mientras que en invierno con cuero de reno. Todos los animales se aglomeran antes de la migración. Algunos con bozales o esportillas son amarrados a los árboles más cercanos, se reservan para montar si son dóciles o para transportar una carga si no lo son. Antes de comenzar, los ewenki le quitarán la cubierta a las caba-

Con un sombrero decorado con cuerno de reno, el cazador sostiene a un lobo criado por él.

ñas. El fuego es muy importante para los ewenki, quienes usualmente disponen de uno en el interior y de otro en el exterior para cocinar y mantener una temperatura agradable, así como varias hogueras para espantar a los mosquitos. Hasta ahora no han provocado ni un solo incendio en las montañas en los sitios por los que pasan.

Durante la migración, las mujeres jóvenes conducen a los animales caminando al frente, una familia tras otra; los ancianos se mantienen sentados sobre los renos, rodeados por los adultos y los niños que los arrean. Los ladridos de los perros vivarachos, el resuello de los renos y personas llamándose entre sí conforman una excitante sinfonía. Esta es la vida de los ewenki. El reno, el bosque y los ewenki han dependido unos de otros en sus vidas durante miles de años.

La cultura del reno se puede ver en todos los ámbitos de sus vidas, incluso en las bodas. Padres y parientes irán con el novio a la casa de la novia. Caminan en fila, liderados por un anciano que porta una imagen mística en la frente, y una persona que conduce un reno al final. Los miembros de la familia de la novia esperan al frente de su casa. Cuando la comitiva del novio llega, la familia de la novia le obsequia al novio una caja de abedul con la escultura en miniatura de una cabeza de reno como artículo

Cazadores en las profundidades de la Gran Cordillera Hinggan. El hoyo con fuego en el interior es para cocinar y mantener caliente el hogar.

de buen augurio. Entonces, la joven pareja selecciona dos de los mejores animales del rebaño de la familia de la novia. La joven pareja pasea a la cabeza de sendos grupos, dando tres vueltas en circunferencia antes de que se sirva el vino. Después de la comida de la boda, el novio y la novia llevan a los dos renos a la casa.

Como el bosque se está haciendo más pequeño, el reno en peligro de extinción está bajo protección. Una posibilidad es llevar a cabo su crianza en rediles cerrados. Sin embargo, con la evolución, sus pezuñas se han adaptado a caminar por pantanos o suelos blandos cubiertos de musgos y nieve, y desplazarse con ellos por la espesa foresta es probablemente lo que los ewenki quieren en realidad.

Los ewenki son gente de bosque, que siente un profundo amor por los abedules. Con cortezas de abedul, los ewenki fabrican sus instrumentos y utensilios de uso cotidiano, ambos atractivos y prácticos. Así, nació la cultura de la corteza de abedul. Con sus hábiles manos transforman la corteza de abedul en diferentes artículos útiles para actividades de la vida cotidiana: cuencos, cajas, arcos, botes y barriles de agua. Con formas geométricas decorativas, imágenes de animales y plantas, estos objetos representan una cultura de la caza y la crianza de renos de belleza telúrica, primitiva y elegante que no se halla en ninguna otra parte.

Hermoso utensilio de corteza de abedul.

# Los uigures: Pequeños sombreros floreados que pasean por las montañas Tianshan

✔ El canto y el baile de los doce *muqams*
✔ Hermosas costumbres
✔ Comida deliciosa en la Ruta de la Seda

La palabra «uigur» en chino significa «unidad», una descripción muy apropiada de la historia del pueblo uigur. Sus ancestros fueron tribus nómadas en la China del noroeste y de Asia Central. Hoy en día, el pueblo uigur vive en el oasis al sur de las Montañas Tianshan en la Región Autónoma Uigur de Xinjiang, con una población de alrededor de 8,39 millones de habitantes.

Esta minoría étnica procedente de las regiones occidentales y de Asia Central tiene todas las características de un pueblo nómada. Son felices y sobresalen en el can-

Paisaje en las montañas Tianshan, en Xinjiang.

«Doce *muqams*» está considerado por la UNESCO como «Patrimonio verbal e intangible de la humanidad».

to y en la danza. Tan pronto como comienza la música de la dombra, un instrumento musical uigur, hombres y mujeres viejos y jóvenes formarán un círculo para bailar. Su famoso poema musical llamado «Doce muqams» (que significa 12 grandes canciones), posee un preludio, narración, música y danza. Dura todo el día representarlo desde el comienzo hasta el final, muestra la esencia del arte danzario y musical uigur. Las tristes melodías del Satar, un instrumento musical especial para esta pieza, y el canto desgarrador en la voz enronquecida de los artistas *muqam*, y los elegantes movimientos danzarios en las partes de «imitación» o «competencia», nadie deja de sentir la desoladora profundidad del desierto. Los uigures comparan los «Doce muqams» con un vino mágico o con una fascinante pintura. Al escucharla, los ancianos se sienten más fuertes y los enfermos que yacen sobre sus lechos de muerte se sienten en paz, con la certeza de que ascenderán al Cielo después de la muerte. Sin esta pieza, los casa-

Una joven está recogiendo uvas en el Valle de las Uvas en Turpan.

El *mashrep*, una manifestación artística divertida que incluye canto, baile y mucha risa.

mientos pierden su emoción y el desierto es simplemente un espacio sin vida.

Además de la música, el pueblo uigur tiene vestimentas majestuosas. Los hombres usan una larga toga llamada *qia pan*, una toga que da hasta las rodillas con largas mangas pero sin cuello ni botones. El cinturón de cintas que ellos usan es ancho y largo, puede servir de sostén a refrigerios y artículos personales. El cinturón es de uso ocasional salvo cuando se asiste a festividades o celebraciones, durante las cuales será reemplazado con cintas bordadas de colores brillantes. La camisa de los hombres es cerrada al frente y frecuentemente es blanca, negra o de colores oscuros. Las camisas de los jóvenes exhiben encajes floreados. En verano, usan, *qia pan*, blancas y finas mientras que en invierno usan unas revestidas con algodón de colores oscuros. Las mujeres uigures prefieren vestidos de colores vivos con mangas sueltas. El mejor material es una seda especial conocida como *aidelis*, considerada lo más hermoso del desierto solo superada por las flores abiertas. La seda tiene una historia de 2.000 años, hecha y teñida a mano a partir de los capullos, labor que requiere mucho esfuerzo y tiempo.

Anciano uigur que vende sombreros floreados.

Todos los uigures, hombres y mujeres, viejos y jóvenes, usan sombreros con delicados motivos de flores llamados *duo pa*, un importante símbolo que los distingue de otras nacionalidades. En una ceremonia religiosa, nadie deja su cabeza descubierta. No usar sombrero en el exterior es considerado blasfemo para el Cielo. Sombreros floreados decorados con encajes, perlas, oro o plata son prendas de uso popular y también constituyen hermosos obsequios para amigos y parientes.

La comida uigur es muy conocida. Casi todos conocen sus famosas brochetas de carne ovina asada de casi un metro de largo. Si uno la prueba no olvidará su delicioso sabor. El espetón puede medir hasta 80 centímetros de largo, con grandes trozos de carne ovina distribuidos en una docena de ellos que se hornean al mismo tiempo dentro de un hoyo abierto en la tierra. Son crujientes, suaves, deliciosos y fragantes. El cordero asado completo –dorado, lustroso y crujiente en el exterior con un interior muy suave– es servido para honrar a los huéspedes.

Temprano por la mañana en Turpan, el nang horneado en un hoyo abierto en la tierra huele muy bien.

Sus tres comidas tienen la harina de trigo como ingrediente necesario.

El *nang*, el arroz desgranado para comer con la mano y la masa de harina horneada con relleno de frutas son importantes platos. Ellos comen mucha carne, fundamentalmente de corderos y vacas. El *nang* hecho de harina de trigo o maíz en diferentes tamaños y espesor, cocido en hoyos abiertos en el suelo es su tarta nacional. Dorado y crocante, constituye una necesidad cotidiana que puede durar mucho más que otras comidas. La gente dice, «Ni un solo día puede pasar sin *nang*». Cuando el monje Tang Xuangzanf viajó hacia el oeste en busca de sutras budistas, cuenta la leyenda que el *nang* fue la comida que lo ayudó a cruzar el desierto de Gobi. Actualmente, en muchas ciudades de China, el *nang* está disponible en el mercado como un refrigerio popular.

El arroz desgranado para comer a mano es motivo de orgullo para el pueblo uigur, llamado *polur*, cocido con arroz, carne de cordero, grasa de oveja, aceite vegetal, cebolla y zanahorias. Se tiende una sábana y todos los

miembros de la familia se sientan cerca para compartir la comida. Tradicionalmente, se lavan las manos antes y después de la comida. No usan un cuenco para lavarse las manos, pero usan en cambio agua de una vasija para enjuagarse las manos tres veces, luego se las secan con toallas. El agua usada es colectada en un cuenco de bronce o de madera. Si tienen un invitado, este se sienta en la posición más importante. Después de la comida, los mayores de la familia realizan una simple ceremonia religiosa. Es descortés si los invitados se levantan y se van antes de que la anfitriona lave todos los platos.

Además de eso, el pueblo uigur tiene muchos otros tipos de comidas deliciosas. Si alguna vez viajas hacia esta región, paseas por la Ruta de la Seda y disfrutas de los encantos de la vida uigur, no olvides degustar estas deliciosas comidas, te gustarán.

Especialidades de comidas locales que se venden en el mercado internacional de Urumqi.

El arroz para comer a mano nunca falta cuando son agasajados los invitados, en ocasiones especiales o en días festivos.

# Los tu: La nacionalidad del arcoíris y sus canciones únicas

✔ El arte popular Regong
✔ Costumbres multicolores
✔ Canciones folclóricas

La mayor parte del pueblo Tu, con alrededor de 240.000 individuos, reside en el condado autónomo Huzhu Tu, en los condados Datong y Minhe, al este de la provincia Qinghai, mientras que otros viven en Tongren, Ledu y Menyuan. Sus tierras se hallan al noreste de la altiplanicie de Qinghai-Tibet, una reterizada por la presencia de tupidos bosques, vastos pastizales y muchos ríos rodeados de un clima agradable, abundantes

Escultura de madera de Buda del arte Regong.

cultivos y frutos. Este hermoso entorno ha influido enormemente en ellos y ha propiciado el desarrollo de sus fabulosas aptitudes artísticas y culturales.

En las áreas donde muchos tu residen, artistas que laboran para los monasterios o no, están dedicados a la pintura, escultura en barro o grabado en madera. Ellos realizan imágenes y frescos budistas o decoraciones en dinteles, vigas o extremos de columnas. Estos artistas se llaman *Regong lasuo*, y su arte se conoce como arte *Regong*. Muchos monasterios en la meseta Qinghai-Tíbet exhiben sus obras. Muchas de sus pinturas están elaboradas en un estilo que se distingue por sus meticulosas pinceladas, colores suntuosos, típicos de la escuela budista tibetana. En los extremos de las columnas o vigas, se suelen hallar representaciones de prolíficas cosechas o animales domésticos de fuerte complexión. Son probablemente los artistas más famosos en cuanto a decoración de construcciones. En las esculturas budistas de barro de estas regiones podemos apreciar el resultado de los intentos de los artistas tu de incorporar rasgos religiosos han y tibetanos.

La vestimenta de los tu es muy típica de su cultura y se puede distinguir con solo una mirada. La gente los conoce como una «nacionalidad multicolor». Los atuendos masculinos destacan por ser muy característicos, la ropa interior blanca con cuellos altos y bordados, solapas dobladas hacia dentro, y abrigos de mangas negras y recortadas, chalecos negros, pantalones azules holgados con cintas bordadas a la cintura. Algunos jóvenes prefieren

Los campos y las casas tradicionales del pueblo tu, cubiertos de cultivos de colza y trigo, en el condado autónomo de Huzhu tu al este de Qinghai.

El arte del bordado que las mujeres tu ha conservado durante generaciones.

usar bordados de imaginería en la parte delantera de sus abrigos. Algunos tu usan sombreros de fieltro inclinados hacia arriba en la parte frontal y en la de atrás. Las prendas de vestir femeninas varían mucho de una región a otra, pero todas sobresalen por sus vivos colores, algunas combinan cinco colores, otras siete. Sus cinturones de cintas son anchos y largos, con diseños bordados en ambos extremos. Usan chalecos negros y púrpuras sobre sus camisas, faldas largas y pantalones. Las jóvenes prefieren el rojo y sus faldas son multicolores, mientras que las de mediana edad prefieren el marrón, con aberturas al frente y atrás. Sus pantalones tienen dos colores encima y debajo de la rodilla. El color debajo de la rodilla representa su estatus marital. Una mujer soltera usa el rojo mientras que una casada usa el azul.

Sus bordados se pueden ver en cuellos y mangas. A los jóvenes les gusta lucir una *figura* cuadrada bordada en la parte anterior de sus gabanes, diseño de *tai ji* o imágenes de la flor del ciruelo. Otro diseño auspicioso llamado «buena fortuna interminable» se aprecia a menudo en cinturones y cuellos. Casi todo exhibe motivos bordados –una funda de almohada, un ropón con forma de diamante que usan los bebés, petacas, bolsos. Si una joven tiene habilidades en el bordado, es bien vista por todos, y se considera una buena esposa en potencia.

Las canciones folclóricas de los tu son de dos tipos: «canciones de familia» y «canciones salvajes». Las «canciones de familia» que incluyen odas o apologías, formatos de preguntas y respuestas maliciosas, baladas y cantos epitalámicos, mezclan melodías, frecuentemente en dos estrofas. Las apologías son melodiosas y suaves, en cambio las preguntas y respuestas maliciosas son cortas y sucintas, con una pausa al final de cada línea. Las «canciones salvajes» se conocen también como «canciones floridas (hua´er)» su diversidad es de una docena o más tipologías. Sus «canciones floridas» tienen similitudes con las de Gansu, Qinghai y Ningxia, son todas vibrantes, de tonos agudos, y ritmos rápidos. La diferencia radica en que las canciones de los tu tienen mayor variación en la melodía y un registro más amplio.

Sus «canciones floridas» poseen dos, dos y medio o tres estrofas completas, dos de ellas tienen un texto substancial mientras que las restantes constituyen estribillos de apoyo. Cada canción es repetida dos veces, y se le añade como remate una coda larguísima. Si tiene alguna vez la oportunidad de visitar su región, no desaproveche la posibilidad de escuchar esta forma musical única.

Ceremonia local para exorcizar espíritus malignos.

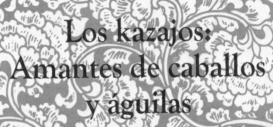

# Los kazajos: Amantes de caballos y águilas

✔ Doman águilas entre montañas y praderas
✔ Músicos que interpretan la *Dombra*
✔ El excitante juego de
«la persecución o cacería de las chicas»

El cazador y su águila.

Sobre un galopante y fino caballo seguido de jaurías de sabuesos con un águila posada sobre su brazo: es la imagen típica de los kazajos cuando se van de caza. Viven fundamentalmente en sus prefecturas y comarcas autónomas en Xinjiang, y también en regiones de Gansu y Qinghai. Su población total es de 1,25 millones de individuos.

Los lugares habitados por ellos están rodeados por las montañas de Tianshan, Altai y Tarbaghatai, con los valles Junggar y Ili en el medio, entrecruzados por varios ríos y salpicados por los lagos del altiplano. Las colinas próximas ostentan magníficos pastos en verano, mientras que las riberas de los ríos y las praderas son ideales para el pasto de invierno. Por generaciones, la mayoría de los kazajos ha llevado un estilo de vida nómada, y pocos se han asentado y dedicado a la agricultura. Debido al entorno, la mayoría son excelentes cazadores. No usan armas de fuego sino un ayudante tradicional: el águila. El entrenamiento de un águila para la caza demanda mucha habilidad y esfuerzo.

El águila es un ave rapaz, feroz, rápida y legendaria, se considera desde hace miles de años un símbolo del coraje y el poder. No es fácil capturarla y adiestrarla, todavía los kazajos saben cómo hacerlo.

Tierra de pastoreo del pueblo kazajo.

Cuando se disponen a migrar, desmontan sus carpas, empaquetan sus pertenencias y las transportan en camellos a un nuevo sitio.

Después de capturar un ejemplar adulto con una red, gancho o trampa, o de sacar un pichón de su nido en las montañas, los cazadores kazajos lavan su cuerpo y estómago varias veces para expulsar su «aroma salvaje». Después de ser sometida a un proceso de «adaptación» durante medio mes, el águila es domesticada. Son alimentadas con mucho tacto. La carne una vez cortada se limpia, se sostiene con una mano cubierta con guante de cuero y se muestra un poco para que el águila se acerque y picotee. Entonces, el ave está extremadamente hambrienta y al ver la carne se abalanza sobre ella desesperadamente. El cazador se va alejando, paso a paso, incrementando cada vez más la distancia que lo separa del ave, forzando al ave a que vuele hasta donde está él. En cada ocasión, no le da todo lo que necesita. Cuando el ave puede volar rápidamente y posarse sobre su mano para picotear la carne, el entrenamiento está casi completo. Para que el águila se familiarice con el entrenador, este mezcla a veces la carne con su saliva. Hasta ese momento, todo el entrenamiento tiene lugar en el interior. Luego viene el entrenamiento más importante, el que se efectúa en el exterior.

En la caza, los entrenadores kazajos mantienen el águi-

Tocando un instrumento
musical tradicional, la *dombra*.

Recibiendo a los invitados en casa con té y comida especial.

la un poco hambrienta con el fin de estimular su deseo de matar, una antigua costumbre transmitida de generación en generación. El ave se transporta con los ojos tapados y sus patas encadenadas hasta que se descubre la presa.

La mayor parte de la caza se realiza en invierno, cuando conejos salvajes, zorros y gacelas se están desplazando. Cada viaje de caza es recompensado. Aunque esta especie de águila no es la más grande, sí es la más feroz.

Hay un refrán popular entre los mongoles de la época en que intentaron conquistar Asia Central, «Un águila bien entrenada es inapreciable, aún más que un caballo fino.» En el pasado, cada águila costaba más que la dote de una muchacha.

Cuando se van a cazar a caballo con feroces águilas y perros a ambos lados, los kazajos parecen agresivos. No obstante, son pastores divertidos y alegres. Tienen un patrimonio conformado por muchos cuentos tradicionales, baladas y aforismos que transmiten a las nuevas generaciones. Los mejores intérpretes entre ellos son conocidos como A Ken, un calificativo que denota mucho respeto y que se le aplica a los narradores y cantantes. Son artistas

tradicionales pero diferentes de los de otras nacionalidades, por cuanto los narradores de historias kazajos cantan de manera improvisada acompañados de sus propios instrumentos musicales. Gracias a estos versátiles artistas, la historia de los kazajos se ha preservado.

El hombre kazajo es atractivo, y la mujer hermosa. Ellos tienen un juego divertido especial llamado «la cacería de las chicas», con el que las muchachas buscan novios por ellas mismas. La «cacería de las muchachas» se celebra en días festivos. Antes de que comience, las tribus participantes escogen a los jugadores y los caballos. Sus caballos son finos, aunque los de las muchachas deben ser mejores que los de los chicos. La pareja irá hacia un sitio designado, uno al lado del otro, y por el camino el muchacho puede decirle algo a la muchacha, e incluso puede besarla. No se supone que la muchacha se enoje. No obstante, tan pronto como llegan al sitio designado, el muchacho da la vuelta inmediatamente intentando una desesperada fuga. La joven emprende una intensa persecución, blandiendo un látigo. Ella quiere azotarlo como castigo por lo que él hizo o dijo. Sin embargo, si a la joven le gusta el muchacho, sus latigazos serán fingidos y caerán sobre la espalda del joven como caricias. Esta forma de cortejo ha posibilitado que muchos jóvenes encuentren y se casen con su verdadero amor.

# Los huí:
# Devotos musulmanes

✔ Adentrándose en la cultura islámica
✔ Construcciones islámicas únicas

En comparación con otros grupos étnicos de China, los hui tienen una población mayor. Con sus sombreros blancos o azules, los hui pueden ser vistos casi en cualquier parte de China: trabajando duro y siguiendo escrupulosamente los preceptos religiosos.

Rezándole a Alá.

Actualmente, la mayoría de los hui viveN en la Región
Autónoma Hui de Ningxia, algunos en Gansu, Xinjinag,
Qinghai, Hebei, Henan, Yunnan, Shandong, Beijing y
Tianjin. Hoy en día, los hui tienen una población de 9,81
millones de individuos.

Efectuando una ceremonia
religiosa en el interior de una
mezquita.

Los chinos hui son piadosos musulmanes y profesan
el credo suní de la religión islámica, oran cinco veces al
día en dirección a la Meca, pronunciando *shahadah*. Todos
los viernes, acuden a sus mezquitas por un servicio reli-
gioso y todos los días tienen un mes largo de Ramadán.
Realizan sus actividades religiosas en las mezquitas. Todo
musulmán con condiciones hace una peregrinación a la
ciudad sagrada de la Meca al menos una vez en su vida.
Además de las festividades religiosas como Id al-Adha y
Lesser Bairam, celebran otras actividades religiosas durante el año.

Los hui acatan los dogmas islámicos. Cada año, celebran un mes largo de Ramadán, durante el cual pueden

Musulmanes devotos.

La mezquita Dongguan en Xining, provincia de Qinghai, la más grande mezquita del noroeste de China.

comer tanto como quieran antes del amanecer. Sin embargo, entre el alba y el ocaso, está prohibido comer o beber así como satisfacer deseos personales de cualquier tipo. Desde luego, los bebés, los ancianos, los débiles, los enfermos y las embarazadas no están obligados a seguir este ritual sagrado de ayuno y abstinencia. El último día del Ramadán es el Lesser Bairam, que coincide con el último día de septiembre según el calendario islámico. Esa mañana los musulmanes se reúnen en la mezquita antes de la celebración de una actividad religiosa. Id al-Adha es otra festividad que cae en el décimo día de diciembre según el calendario islámico, que significa «sacrificio del ganado». Durante el Id al-Adha, todas las familias musulmanas han de limpiar sus hogares. Todas las familias que posean ganado, deben matar ovejas, camellos o bueyes. En los albores del festival, los musulmanes arreglan sus

ropas después de tomar un baño y escuchan la interpretación que el imán hace desde las mezquitas. Después de las oraciones y la liturgia, todas las familias acuden al cementerio a rendir tributo a sus seres queridos fallecidos.

Los musulmanes deben obedecer muchas reglas en su vida: no consumir carne de mula, cerdo y caballo o sangre animal, no consumir aves de corral muertas o que no hayan sido sacrificadas por un partidario del Islam, no mostrar el pecho o los brazos a otras personas.

La cultura islámica ha influido en la arquitectura, la mezquita (*qing zhen si*) es un buen ejemplo de ello. «*Qing zhen*» significó originalmente «simple y austera». Los chinos hui han enriquecido este concepto con nuevas cualidades, sus mezquitas han de ser también, puras,

Vivienda de los hui.

inmaculadas y duraderas. Constituyen un espacio destinado a más de un propósito, es el lugar donde los hui se limpian, realizan sus ceremonias religiosas y apoyan a los sacerdotes para que propaguen el conocimiento del Islam y adiestren a los trabajadores islámicos. Las mezquitas de los hui son de dos tipos: una de estilo árabe con una cúpula en la parte superior, otras están construidas según el estilo de la arquitectura china tradicional, con

Los hui celebrando su Id al-Kurban con comidas tradicionales.

aleros inclinados hacia arriba y ménsulas para el ensamblaje de piezas[1].

Independientemente del estilo, las mezquitas tienen un interior muy limpio, solemne y tranquilo, con pinturas de plantas y sobre las paredes se pueden observar grabados en relieve, paneles árabes y coránicos de forma cuadrada con inscripciones. Sus residencias se parecen a las de los lugareños han. En los campos de la China del noroeste, muchas de sus casas tienen un solo piso –sean viviendas rupestres en cavernas o construcciones de ladrillos y tejas.

Muchas de sus casas dan al sur para recibir la máxima cantidad de rayos solares. En las regiones montañosas del sur de Ningxia, los hui añaden otro piso a sus casas, por los que se les llama «casas altas». El espacio añadido está destinado a propósitos religiosos y está lejos del alboroto de los niños. En los dinteles de muchas residencias, se pueden leer frases del Corán escritas en lengua árabe, la mayoría ensalzando a Alá. Como a sus ancestros, a los hui contemporáneos todavía les gusta quemar varillas de incienso, disponer de guías morales en el interior de sus salas principales, escudillas para los sutras a cada lado, y un Corán siempre listo para algún servicio. Quemar varillas de incienso en casa tiene un doble propósito: purificar el espacio circundante y expulsar los espíritus malignos.

1.  N. del T.: El sistema de unión basado en ménsulas no requiere de clavos o sustancias adhesivas. Es un rasgo típico de la arquitectura tradicional china, uno de cuyos componentes estructurales más notables es el *dougong* que es el resultado de la unión de dos ménsulas de madera. Los conjuntos de múltiples *dougong* acoplados, además de tener un exquisito valor ornamental, distribuyen mucho mejor el peso de las vigas sobre las columnas y le confieren una sorprendente elasticidad a las estructuras arquitectónicas.

# Los kirguises: Formados bajo la influencia de una epopeya heroica

- ✔ Epopeya homérica en China –*Manas*
- ✔ Hermoso arte del *Tu xi tu ke*
- ✔ Innumerables usos del cuero de camello

Los lugares que habitan están rodeados de montañas, y por esta razón, a los kirguises se les considera «montañeses». Muchos de ellos viven en su prefectura autónoma y en otras comarcas de la Región Autónoma Uigur de Xinjiang. Su población: 160.000 individuos. Sus domicilios se hallan en las profundidades de la Meseta del Pamir y en las montañas de Tianshan. Los ríos en estos parajes manan de la nieve derretida hacia el

Joven pastor kirguís

Pastores cantando su epopeya nacional, *Manas*.

oriente, y dejan a su paso estelas de exuberantes pastizales en ambos márgenes, lo cual crea condiciones ideales para la cría de animales. Los lechos de algunas cuencas son también adecuados para la labranza. En estas tierras feraces, el pueblo kirguís cría animales y aquí también entre montañas, praderas y ríos, nace la epopeya kirguís, *Manas*.

*Manas* es una obra majestuosa, no es meramente un poema épico, sino toda una enciclopedia sobre su sociedad, historia, geografía, vida, costumbres, creencias religiosas, economía, familia, artes, lengua y literatura. Posee ocho secciones, que describen a los héroes de ocho generaciones que luchan por la unificación de las tribus para llevar una vida feliz en comunidad.

El poema épico es una obra de grandes proporciones formada por alrededor de 200.000 líneas, cada una con una historia individual, ideal para ser cantada y narrada. Los personajes y los argumentos están bien conectados, lo

Muchachas kirguises en Xinjiang absortas en sus labores de bordado.

que contribuye a la conformación de una literatura magnífica, bien urdida y completa. Ha sido transmitida de generación en generación a través de una historia no escrita que fluye desde las canciones y narraciones heredadas. Esta inestimable herencia popular ha sido vertida a lenguas extranjeras y se conoce en China como la epopeya homérica de China.

Jóvenes en días festivos.

Ellos tienen no solo la grandiosa epopeya de la que se sienten tan orgullosos, cuentan con otros elementos, como su artesanía tan famosa en otras naciones, sus tapices, objetos de paja y cuero de camello.

*Tu xi tu ke*, los tapices kirguises, son antiguos objetos decorativos para las casas, eliminan la humedad y protegen las paredes, se distinguen por su atractivo y su carácter distintivo. La mayor parte de las casas exhiben un tapiz en el espacio más conspicuo de la pared, a menudo de 1,2 metros de alto y 3 metros de largo –terciopelo púrpura ribeteado de terciopelo negro con borlas. Las imágenes más populares son las montañas, las olas, nubes y plantas, que están relacionados con su vida cotidiana, su agricultura y ganadería así como también con las montañas circundantes y los vastos pastizales.

Los productos de cuero de camello son también el orgullo del pueblo kirguís. Las artesanías

Niños jugando a tirar con fuerza de la cuerda

están hechas a partir de diferentes partes de la piel del animal, dígase baldes de agua, vasijas y tazones. Son duraderos y atractivos.

El tonel de camello está hecho con el pescuezo del animal. Cuando el camello es despedazado, del pescuezo se extrae la carne y la grasa hasta que queda de él un cilindro hueco. Luego se extrae y desecha la pelambre, se cose el cuero con un hilo grueso y se rellena con arena sólida y prensada. El futuro barril es ahumado durante un año antes del toque final: al fondo se cose una pieza redonda de cuero con un hilo muy fino –bastante delgado para que el agua no se escape– y finalmente cuando se le añaden dos asas, el cubo está terminado y listo para cargar de 5 a 6 kg de leche o agua.

El pote de cuero de camello es usado para transportar agua y se dice que fue usado por los ancestros para lavar sus manos y rostros antes de salir a la guerra. Dado que es extremadamente duradero, es muy bueno para jinetes de caballos y camellos.

# Los tibetanos:
# En el techo del mundo

✔ La antigua cultura budista de los tibetanos
✔ Nueva imagen de la Antigua Ópera Tibetana
✔ Costumbres fascinantes

El palacio de Potala en el centro de Lhasa, símbolo de la historia y cultura tibetana, así como del altiplano de Qinghai-Tibet.

El pueblo tibetano, de 5,41 millones de individuos, vive en el techo del mundo, la altiplanicie de Qinghai-Tibet que se ubica administrativamente en la Región Autónoma del Tíbet, así como en otras prefecturas o comarcas autónomas en Qinghai, Sichuan y Yunnan. Ellos viven de la cría de ovejas, cabras y yaks. Cultivan plantas como el trigo, la canola y guisantes.

Su alimento básico es la cebada de la altiplanicie tostada y la mantequilla de yak.

Haciendo una reverencia en una peregrinación a pie desde la su distante casa hasta Lhasa.

Por medio de debates, los lamas estudian los sutras budistas tibetanos.

Dándole vuelta a las vasijas cilíndricas que contienen sutras, una práctica religiosa común, para las bendiciones.

El pueblo tibetano es extrovertido, hospitalario, corajudo y espontáneo. Les gusta bailar y cantar sobre la felicidad de su vida bajo el cielo azul. Las canciones tradicionales tibetanas y las rimas son melodiosas y vertiginosas. Sus tonadas son interminables y estremecedoras. A menudo cuando cantan, danzan al mismo tiempo.

El budismo tibetano es la parte más importante de la cultura tibetana. Aproximadamente en el siglo VII, el budismo fue trasplantado de la India al Tíbet. Actualmente, tiene cerca de 1.300 años de historia. Basado en el budismo primigenio, el budismo tibetano incorporó rasgos de

la religión original y local llamada «Ben». Entre los siglos XIII y XVI, se desarrolló rápidamente el budismo tibetano, razón por la que llegó a ser una religión muy popular y activa. Se construyeron muchos monasterios, entre estos el más famoso es el de Potala y el Tashi Lhunpo. El budismo tibetano tiene cuatro sectas, Gelugpa, Sagya, Kargyupa y Ningma; de estas, la Gelugpa, llamada también la secta amarilla, es la mayor. La Secta Amarilla practica el sistema de sucesión del Buda viviente de las dos ramas del Dalai y el Panchen.

*Trabajando las piedras de maní.*

Los tibetanos son fervientes seguidores del budismo. Ellos están dispuestos a regalarle los ahorros de sus vidas al Buda viviente. En la carretera de Qinghai-Tibet, se puede ver cómo devotos seguidores efectúan genuflexiones cada tres pasos en sus viajes de varios años hacia la ciudad sagrada, Lhasa. El pueblo tibetano esculpe sus sutras en piedras, conocidas como piedras *Mani*, a menudo apiladas en calles, en puentes y en las cimas de las montañas.

Ópera tradicional tibetana
interpretada en Nobulingka.

Cuando el clima es muy frío, mantienen las piedras bajo sus ropajes pegadas a sus cuerpos para absorber su energía. La ciudad Xinzhai en la prefectura autónoma tibetana de Yushu en Qinghai, construida por el Buda viviente de la primera generación, tiene 2,5 mil millones de piezas de piedra Mani de los años 1950.

La influencia del budismo tibetano en los lugareños es sorprendente. Su vida cotidiana está dominada por el miedo y el respeto reverencial a Buda. Tienen muchos tabúes religiosos, como no hacer ruido en el interior de los monasterios, no fumar ni tocar las imágenes budistas.

La Ópera tibetana es una reliquia viviente, una de las formas artísticas más antiguas existentes en China. Por cuanto no requiere muchos accesorios de utilería ni un teatro de grandes dimensiones, todavía es muy popular. La representación de una obra de esta modalidad artística atrae a mucho público de cerca y de lejos. La Ópera tibetana surgió y evolucionó a partir de canciones tradicio-

Danzas de máscaras en una ópera tibetana.

nales locales, poesía, danza, música y cuentos. Con poca preparación, los actores comienzan a actuar con máscaras que representan diferentes tipos de personajes, la maldad o el bien. Los personajes tienen pocos diálogos pero mucho canto y están unidos por un elenco de apoyo. Un narrador, con campanas en la mano, explica el argumento a la audiencia. Los actores bailan y cantan, acompañados por la música. Debido a que el local es usualmente muy grande, han de cantar con voz muy alta para llegar a toda la audiencia, algunos de los cuales se hallan muy lejos. Muchas de sus historias proceden del folclore, las leyendas, de cuentos budistas y acontecimientos del pasado.

Hermosa niña tibetana.

Hombre Kangba
portentosamente vestido.

La indumentaria tibetana tiene marcadas características nacionales, cintura ancha, largas mangas y grandes partes frontales, varía de un lugar a otro en el estilo, la decoración, el color y la manera en que se usa. Existen alrededor de 100 variedades de vestidos femeninos. Su cabello está recogido con muchas trenzas y lo adornan con objetos que cuelgan sobre sus espaldas. Las mujeres tibetanas usan muchas joyas –de oro, plata, coral o ágata en la cabeza, cuello, manos o cintura. Monjes y monjas solo usan en el exterior de sus casas vestimentas budistas.

# Los dai:
# Templos budistas
# y casas de bambú

✔ Devotos seguidores del budismo
✔ Festival de Las Rociadas de Agua
✔ Tambores de pata de elefante

Hermosa escena en una región de la tierra de los dai.

El pueblo dai con su propia lengua escrita y hablada, y una población de 1,15 millones, gran parte de la cual vive en el Yunnan occidental cerca de grandes montañas y extensos ríos. Muchos de sus pueblos están construidos en llanos fértiles cubiertos de una densa vegetación tropical y valiosas hierbas medicinales.

El templo en Jinghong,
Xishuangbanna, Yunnan.

Un monje está copiando sutras
con un palillo de bambú sobre
hojas de *pattra*.

Ceremonia de adoración del
pueblo dai.

El arroz es su principal cultivo.

Xishuangbanna y Dehong se conocen como los «graneros de arroz de la parte meridional de Yunnan».

Los dai profesan el credo *Hinayana*, una secta del budismo, con características del budismo primitivo. Los seguidores del *Hinayana* buscan el *mukti* individual. Esta secta vino por primera vez de la India, a través de Sri Lanka llegó a la provincia de Yunnan de China. Todo dai ha de trabajar como monje durante un tiempo en un templo. En el pasado, la educación solo era posible en los templos. Solo residiendo en un templo podía el dai recibir una educación, y ganarse el derecho de establecer una familia. De lo contrario, sería simplemente despreciado. Después de recibir un título budista, podía retornar a la vida secular. Los que permanecían en los templos estudiarían la doctrina budista, serían sucesivamente promovidos hasta devenir monjes.

Su festival más famoso es el de la Rociadura de Agua, se celebra el día del Nuevo Año según su calendario (en abril). De acuerdo con la leyenda, siete muchachas bon-

dadosas fueron expuestas al fuego por haber ultimado a un rey malvado cuyo trato brutal se les hizo insoportable. La gente acudió a salvarlas echando agua sobre ellas.

En conmemoración de las siete muchachas que liberaron a la comunidad del tirano local, cada día del Nuevo Año, la gente se rocía agua entre sí «para quitarse el polvo y recibir su bendición». El Festival de la Rociadura de Agua es también de índole religiosa, dura de 3 a 7 días. El primer día es como la víspera del Festival de Primavera, el segundo es para descansar y cazar en las montañas, y el tercero es su Nuevo Año. En ese día, temprano por la mañana, la gente se pone sus mejores ropas. Acarrean agua a los templos para «bañar al Buda». Luego comienzan a rociarse unos a otros, agua como señal de buenos auspicios, felicidad y buena salud. Las rociadas de agua al comienzo son amables. Pronto pasan a ser salvajes y desenfrenadas. Muchachas agradables al principio, adoptan después una actitud agresiva e inician un «combate de agua» con los jóvenes.

Los tambores de pata de elefante son famosos. En toda aldea dai, hay al menos un conjunto de tambores o más

Festival de la Rociadura de agua en Xishuangbanna en Yunnan.

de diferentes tamaños. Existe una leyenda sobre los tambores. Hace tiempo, dos monjes que buscaban sutras budistas llegaron a una aldea dai. Escucharon hermosos sonidos provenientes del picoteo de las aves sobre las frutas en los árboles, la caída de los frutos al río, y los peces que suben a la superficie en busca de alimentos. Recordando

Fabricando un tambor de pata de elefante.

lo que habían oído, ambos monjes fabricaron los tambores de pata de elefante para reproducir estos sonidos. Usualmente, un tambor tiene forma de reloj de arena, con 1-2 metros de diámetro, y está cubierto con cuero de buey o cabra. El cuerpo del tambor está hecho de un tronco completo, cubierto de grabados. Se atan tiras de cuero de buey que luego son tensadas o aflojadas para conseguir diferentes tonos. Antes de tocar, el percusionista unta un poco de pasta de arroz sobre el parche para lograr mejores efectos sonoros. Suelen tocar el tambor con puños, palmas, dedos y codos e incluso con los pies para diversificar los sonidos.

El tambor de pata de elefante es un importante instrumento musical para la danza, y junto a otros instrumentos, teje atrayentes ritmos que expresan sentimientos de alegría.

Danzando con garbo al son de los tambores de pata de elefante.

# Los dong:
# Grandes cantantes

✔ Cantando entre montañas
✔ El encanto de las casas con forma
de tambor de características únicas
✔ Puentes Viento-y-lluvia

La arquitectura de los dong caracterizada por esas torres con forma de tambor de rasgos únicos

Los dong de Guizhou, Hunan y Guangxi cultivan ese famoso arroz pegajoso y fragante. Algunos, aunque no muchos, mantienen granjas de pescado o se dedican a la silvicultura. Su población es de 2,96 millones.

Vívidas esculturas sobre las torres con forma de tambor.

El interior de una torre del tambor.

Las chicas dong disfrutan cantando en momentos de relajamiento.

Su patria se conoce comúnmente como «la tierra de las canciones y la poesía». Sus grandes canciones con múltiples partes, no acompañadas por instrumentos, representan lo más valioso de su cultura, y tienen un valor inestimable como objeto de estudios literarios y musicológicos. El pueblo dong hace uso de las canciones como expresión de su cultura, de sus prácticas sociales, según las normas de la etiqueta y las costumbres. Sus grandes canciones son únicas, con una voz más alta que las otras que vienen en sucesión, de modo que son al menos tres personas las que entonan una canción. Los tres principales rasgos que las distinguen son la presencia de múltiples partes, la ausencia de acompañamiento y de director. Sus grandes canciones imitan a las aves, los insectos y el agua que cae en cascadas desde empinadas montañas. La mayor parte de sus canciones versan sobre escenas cotidianas de la

La torre del tambor es el sitio en el que se interpretan las grandes canciones de los dong.

vida, el trabajo, el amor, la amistad y la armonía entre las personas o entre el hombre y la naturaleza. La evolución de sus grandes canciones es legendaria. Nacieron de la gente común, al principio fueron cantadas en interiores por un grupo –melodioso, acompasado, agradable, y profundo. Cuando las grandes canciones fueron interpretadas, la música se escuchó como una voz etérea y antigua que bajaba desde lo más alto de la montaña, convocando a los hombres y revelando la historia de esta región.

Por muchos años, los estudiosos de la música de todo el mundo creían que China no tenía música con armonía. Esta creencia se mantuvo hasta los años de 1950, cuando un famoso músico Zheng Lücheng hizo un sorprendente descubrimiento, las grandes canciones de los dong. Su interpretación coral en 1986 en Francia fue un evento sensacional y el mundo de la música lo recibió con entusiasmo. Desde entonces nadie cuestiona la existencia de múltiples partes y armonía en la música tradicional china. La interpretación de una de estas canciones es un magno evento, que solo se da en los grandes festivales, en las fiestas sociales o cuando se recibe a invitados egregios que vienen desde lejos. Entre todas, los cantos corales son las más notables, a menudo identificadas con el nombre de un insecto o un animal como la *Cicada* o el *El tercer mes*. Los dong conservan sus canciones tradicionales como un preciado tesoro de su cultura y sus conocimientos. Quien tiene montado un repertorio de canciones más amplio que otros se considera más culto y mejor educado por lo que se le tiene en alta estima. La forma en que cantan está estrechamente relacionada con sus costumbres, personalidad, psicología y entorno de vida. Sus canciones constituyen un registro de su historia y un reflejo de su cultura.

La canción grandiosa de los dong ha sido interpretada con orgullo en otras naciones.

Además de cantantes, los dong son buenos constructo-res. Sus hermosas construcciones de piedra y madera son admirables. Entre todas las construcciones, las casas con forma de tambor y los puentes de viento-y-lluvia son los más representativos.

Con 2.000 años de antigüedad, los campos de terrazas de Yuanyang en la prefectura de Honghe, Yunnan, son los más vastos y espectaculares de todos los campos de terrazas del mundo.

La casa con forma de tambor tiene una posición especial en el pueblo, se pueden ver frecuentemente en el centro del pueblo o cerca de su entrada. Siempre que tiene lugar un gran acontecimiento que requiere el debate de sus ha-bitantes, el jefe del pueblo se sentará en el interior de la casa con forma de tambor y presidirá la reunión.

Por otro lado, la casa del tambor es un espacio para el esparcimiento. Después de un día de trabajo, los lugareños se pueden agrupar en torno a una fogata en el interior de la casa del tambor para contar historias, interpretar instrumentos musicales o cantar antiguas canciones. En los festivales, o cuando son visitados por huéspedes honorables, los habitantes del pueblo se reunirán al frente de la casa del tambor para conducir las ceremonias de recibimiento. Usualmente, una casa del tambor es de madera –sus piezas están unidas con ménsulas que se ajustan perfectamente sin necesidad de clavos o roblones de hierro. Puede haber cuatro, seis u ocho patios de columnas en la planta baja; algunos de ellos, hexagonales. La casa con forma de tambor puede tener múltiples aleros, tres, cinco, siete o incluso quince, como una pagoda. La majestuosa casa del tambor es el sello distintivo de este pueblo.

Los puentes de viento-y-lluvia que unen ambas riberas de casi todos los ríos, son típicas construcciones de los dong. Entre ellas el más famoso es el puente de Chengyang en el condado autónomo dong de Sanjiang, en Guangxi, cuya construcción llevó cerca de 20 años: 76 metros de largo, 10,6 metros de altura, 3,4 metros de ancho, con cinco pilares y cuatro arcadas, cada una de 14,2 metros de longitud. Este puente, junto a otros tres famosos de China, se cuenta entre «los cuatro puentes antiguos más famosos de la nación». Además de este puente hay otro puente clásico, llamado Patuan en Sanjiang. Fue construido en 1910, seis años antes que el de Chengyang, con 50 metros de largo, un pilar, dos arcadas y tres pabellones. Aunque no tan grande como el de Chengyang, este puente tiene algo muy especial. Posee dos pisos uno para las personas y otro para los animales. Esta maravillosa concepción hace de este puente un antiguo paso elevado. Cada parte del viaducto, pabellones y pretiles, es atractiva y altamente funcional, lo que da fe de la sabiduría y habilidad de los dong para la arquitectura.

Con 2000 años de antigüedad, los campos de terrazas de Yuanyang en la prefectura de Honghe, Yunnan, son los más vastos y espectaculares de todos campos de terrazas del mundo.

# Los hani: Máscaras pintadas para los dioses celestiales

✔ Campos de terrazas de mil años de antigüedad
✔ Casas con forma de seta

Los hani residen en la cuenca baja del río Lacang (Mekong) al sur de Yunnan, con una población estimada de 1,43 millones. Los sitios que habitan son altos, entre 800 y 2.500 metros sobre el nivel del mar. Muchos de los hani cultivan en terrazas, pueden poseer hasta 100 terrazas. Por estas construcciones su cultura se conoce como la «cultura de los campos en terrazas» de carácter único.

Las tierras de Yunnan y las de la meseta de Guizhou son montañosas. El ingenioso pueblo de los hani ha construido acequias que parecen franjas plateadas que adornan las laderas de un cerro con el propósito de conservar el agua de lluvia. Incluso en un lugar de 2.000 metros por encima del nivel del mar, es posible cosechar el arroz. Los hani son muy acuciosos con el suelo, no descuidan ni la más pequeña rajadura entre dos rocas. Sus campos más extensos llegan al acre, el más pequeño tiene simplemente un pie cuadrado. Los campos de diferentes tamaños, como las notas altas y las bajas, conforman una melodía etérea.

Antes de que se construya cada campo, las rocas se extraen de diferentes regiones y son transportadas a mano con el fin de erigir un dique en una pendiente seleccionada. Debido a la empinada pendiente, algunos diques pueden alcanzar la altura de un metro.

Los campos en terrazas de los hani conforman un espectáculo maravilloso, que abarca varias comarcas. Solo

Los campos en terrazas de los hani son una obra de arte, una maravilla hecha por el hombre bajo el cielo.

El pueblo de los hani ha alcanzado una unidad perfecta entre el hombre, los montes, el agua, los campos y los bosques.

en Yuanyang, cubren alrededor de 30.000 acres. Algunas pendientes pueden tener 3.000 terrazas, de 300 metros hasta 1.800 metros, que se entrecruzan como una telaraña, la de mayor tamaño alcanza medio acre y la menor, tiene las dimensiones de una mesa. Con la variación de las estaciones, estos campos en terrazas constituyen panoramas asombrosos: tienden al verde en primavera, y al dorado en otoño cuando todo el arroz está listo para ser cosechado, como numerosos espejos que en invierno reflejan la luz solar o cintas de seda que cuelgan del cielo.

Estos campos en terrazas, junto con los bosques, aldeas y suministros de agua, conforman un sistema ecológico local. Su distribución del agua es única y científica, la cantidad suministrada depende de la contribución laboral de cada casa en la construcción y mantenimiento del dique. Cada casa tiene una plancha de madera, marcada con la cantidad de agua que se le asigna y que se coloca en la entrada del dique principal.

Su cultura de las terrazas se ve en cada parte de la vida cotidiana de las personas. Los nombres de la gente se inspiran en estos campos y se celebra una ceremonia cuando nace un bebé. Si es un niño, es invitado un niño

Los hani cantan y bailan mejor que nunca para celebrar el festival nacional.

Las casas con forma de seta de los hani

de siete o de ocho años con un pequeño azadón para representar la roturación de la tierra. Si es una niña, se invita a una niña de siete u ocho años para representar la captura de anguilas y conchas en los arrozales. Solo después de esta ceremonia el recién nacido recibe un nombre y pasa a ser miembro de la aldea. Los hani trabajan en estos campos durante toda su vida y después de su muerte, son enterrados en las laderas bajo las terrazas, para que observen estas tierras por siempre.

Otra característica única de los hani son sus «casas con forma de hongo». Están construidas en las inmediaciones de los campos en terrazas. El pueblo cuenta que sus antepasados, al ver cómo las setas crecían y proliferaban en la jungla, se inspiraron y crearon estas casas, con paredes de barro y estantes de bambú protegidos con hierba. Sus tejados tienen cuatro caras y se parecen a una seta. Una casa con forma de seta puede tener tres pisos. El primer piso es para almacenar animales y las herramientas de labranza. El segundo piso está dividido en tres piezas con la chimenea en el medio. El tercer piso tiene un techo de madera, que es a prueba de incendios y bueno para el almacenamiento. En invierno es calurosa y en verano, fresca.

Banquete del Festival de los
hani en la calle.

# Los miao: Historia materializada en las vestimentas

✔ Sonajeros de plata
✔ Delicadas impresiones en cera
✔ Elegantes pinturas tejidas en brocados

Una de las minorías étnicas más antiguas del sur de China, los miao han realizado varias migraciones masivas en la historia. Hoy en día, de los 8,94 millones de personas con que cuenta esta etnia, la mayoría vive en Guizhou, Hunan, Yunnan y Guangxi. Las montañas de Miaoling y Wuling, donde muchos de ellos viven, tienen climas agradables, verdes colinas y ríos rápidos y en ellas se cosechan muchos cultivos como el arroz, el maíz, el mijo, el trigo, el tabaco, la canola y los árboles tung. Además, estas regiones poseen muchos recursos minerales y forestales.

Lo que hace a los miao tan conocidos son sus trabajos de artesanía: ornamentos de plata, impresión en cera y brocados. Entre estos, los ornamentos de plata, de muchas variedades, son los que reflejan mejor la personalidad de los miao. Además de prendas de plata para el cabello, tienen alfileres de plata, brazaletes, peinetas y pequeñas pero exquisitas placas que usan sobre sus pechos. El corno de plata puede ser de 85 cm de ancho y 80 cm de largo, una medida que se encuentra por encima de la mitad de la altura de quienes lo usan. Las chicas miao suelen decorar estos cornos de plata con hermosas plumas blancas. Sus adornos de plata para la cabeza son

Usan objetos de plata sobre todo el cuerpo.

muy elaborados. Cuando usan prendas como estas, todas las mujeres parecen majestuosas y elegantes.

La elaboración de los ornamentos se plata es manual y sigue el primoroso diseño de un artista. Su fabricación pasa por 30 etapas que incluyen el diseño, el tallado, el soldado, las incrustaciones y el bruñido, procesos consecutivos por los que transita la pieza.

Su técnica de impresión en cera es también famosa. En primer lugar, una tela blanca se coloca sobre una mesa y la cera se vierte al interior de una vasija que más tarde será calentada hasta que se alcance el punto de fusión de la cera. La cera fundida se aplica sobre la tela, no siguiendo un diseño predeterminado sino solamente la imaginación, luego se dibujan aves, flores, insectos o peces. Una vez que se termina la pintura, la tela es teñida y enjuagada. Las plantas son las fuentes de donde obtienen sus colorantes: azul, amarillo, rojo y negro. El azul y el blanco son los colores principales. Una pieza terminada puede tener diseños tan diáfanos como el azul celeste, tan

Los objetos decorativos de plata son de diversos tipos, todos se distinguen por su elaborada factura y por ser prendas femeninas indispensables para los días festivos.

Todos los objetos decorativos de plata están hechos a mano,
reflejan grandes habilidades y elevados valores artísticos.

Mujeres miao inteligentes están trabajando en diseños impresos en cera.

Grabados en cera secándose.

blancos como las nubes, y tan vívidos como el agua que cae en cascada de una montaña, todo ello denota un estilo simple, elegante y nacional.

Los miao han tejido brocados con rasgos propios, conocidos como brocados miao. La mayor parte de sus diseños son formas geométricas, animales, plantas, la naturaleza o imágenes de cuentos antiguos. Las mujeres miao usan hebras de colores brillantes de fuertes contrastes.

Una pieza terminada, aunque de solo 30 cm de ancho, es altamente decorativa, y se usa a menudo como material para la confección de las faldas.

Los ornamentos de plata, la impresión en cera y los brocados miao hacen especiales sus ropajes. Por cuanto sus ropas reflejan un fuerte sentido de la historia y expresan sus sentimientos, se les llama «libros de historia sobre el cuerpo» o «tótems de tela».

Delantal femenino de los miao

Diseños de espléndidos trazos y colores de los bordados miao.

# Los naxi: La última tierra de las mujeres

✔ Bodas extrañas pero románticas
✔ Gran Ceremonia de transición a la Adultez
✔ Cultura *Dongba*
✔ La enciclopedia de los naxi

Como una rama de los qiang, los naxi emigraron muchas veces hasta que se establecieron eventualmente en la actual Región Autónoma de los Naxi en la provincia Yunnan. Algunos se pueden hallar en otras regiones, incluso en Sichuan. Su población es de alrededor de 300.000.

Antigua ciudad de Lijiang, tierra de los naxi.

En la vida matrimonial y familiar, los naxi conservan todavía las costumbres de la sociedad matriarcal. Por esta razón, su patria se conoce como «la última tierra de las mujeres» sobre la tierra. Los naxi de la comarca Yongning de Yunnan, que reclaman ser «*mosuo*», son más peculiares. En una familia Mosuo, domina una fémina, la mujer de mayor edad. Ella se encarga de todo en la familia: la producción, la vida, la comida y la ropa. Ella preside también las ceremonias de adoración de la familia. Las generaciones se registran por la línea materna, de modo que la herencia familiar está solo disponible para los miembros femeninos. Siguiendo estos principios, tienen un tipo de matrimonio llamado «*azhu*».

← Las mujeres naxi se conocen por ser laboriosas, virtuosas y amables, sus vestimentas son características y al usarlas se siente como «si tuvieran la luna y las estrellas sobre sus cuerpos».

*Azhu* significa «amigo» o «compañero». Una relación *azhu* no implica una ceremonia nupcial. Cualquier hombre joven fuera de la línea de sangre puede elegir una cita con una miembro de una familia dada. Si ambos son

felices, y después de intercambiar simples objetos como brazaletes o cinturones, pueden vivir juntos por la noche pero separados por el día. Esta relación se denomina «*azhu*». Tal relación es muy flexible e independiente de los asuntos familiares, la edad y el estatus social. No es una relación establecida jurídicamente. Cuando un joven llega a los 18 años, puede tener una compañera *azhu*. Después de encontrarse en el trabajo o en otros ámbitos, pactan el momento y una señal secreta para la cita. El muchacho deja sus zapatos en la entrada de la casa de la chica lo que indica que esta está tomada. Si los dos se llevan bien, después de un tiempo, dan a conocer su relación a los

Mujer muoso en el lago Lugu

Ceremonia de transición a la adultez de las jóvenes mosuo.

otros. Como viven con diferentes familias, el joven solo se encuentra con la muchacha por la noche y abandona apresuradamente la casa antes del amanecer.

Esta relación puede durar varios años, o incluso más. Algunas relaciones cortas pueden durar un año o algunos meses. Muchos tuvieron experiencias *azhu* en su juventud. Cuando envejecen, pueden mantener una relación estable con solo un hombre. Una muchacha puede tener más de una relación *azhu*, siendo una duradera mientras que otras temporales. Así mismo sucede con el hombre. Los niños que nacen de este tipo de relación tienen el apellido de la familia de la joven y son criados por esta. Sus hermanos hacen las veces de padres y tienen la responsabilidad de su educación. En una relación *azhu*, el varón no tiene obligaciones en la crianza y educación de los niños de modo que esta no está afianzada con lazos económicos. Su «divorcio» es muy simple. Siempre que la muchacha prohíba la entrada del varón, la relación está finalizada. Todo lo que tiene que hacer es sacar sus pertenencias de la casa. Con este gesto, el joven abandona la casa sin animadversión. Pocas veces se dan disputas o rencillas.

Sin embargo, los naxi le confieren gran importancia a la ceremonia de transición a la adultez, que incluye un interesante ritual.

Esta ceremonia se celebra cuando un niño llega a los 13 años y se llama «ceremonia de la falda» para la niña o «ceremonia de los pantalones» para el niño. Antes de que los niños lleguen a esta edad, ellos solo usan túnicas de cáñamo. La ceremonia se celebra en el interior de la habitación de la madre. Dentro de la casa de cada familia, la habitación de la madre es la principal habitación, en esta se hallan dos postes –el izquierdo es para el niño y el derecho para la niña. Ambos postes proceden del mismo árbol. La ceremonia para la muchacha es grandiosa, muy esperada por todos los miembros de la familia. Después

Un chamán dongba ejecutando la danza del tambor en Lijiang, Yunnan.

de unas frases de salutación, la madre ayuda a la niña a cambiar su vieja bata de fibras de cáñamo por una nueva falda hermosa, plisada y de flores. Entonces, un sacerdote les reza a los antepasados de la muchacha antes de que ella se cuelgue un collar de lana en su cuello.

Después de la ceremonia, la cuerda se coloca en un poste de madera encima del santuario familiar. Al hacer esto, los naxi dicen que la niña estará unida a la familia y tendrá una larga vida. Como la cuerda es de lana, eso es para ella como un recuerdo de sus antepasados pastores.

La ceremonia para un niño es también emocionante. Sin embargo, a diferencia de la de la niña, el niño coge una daga y monedas en sus manos, lo que significará que

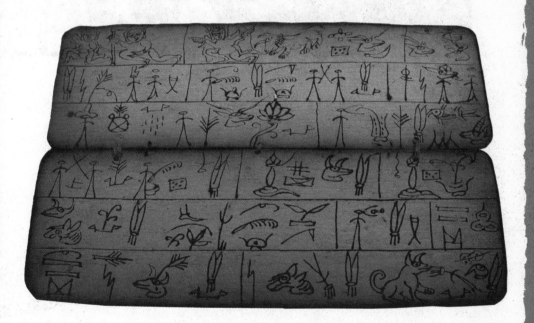

Inscripciones misteriosas y arcaicas de los dongba.

a partir de este día, tendrá suficiente comida y ropa. La ceremonia es presidida usualmente por su tío del lado materno. Después de ponerse los pantalones que simbolizan la adultez, las más viejas generaciones y sus parientes le regalan presentes. El niño le rinde tributo al santuario de los ancestros, escucha el sutra leído por un hechicero y entona una canción junto a otras personas.

La antigua música naxi, un fósil viviente.

Todas las ceremonias cuentan con la presencia de un chamán. Los naxi profesan una religión local de mil años de antigüedad, llamada *dongba*. Esta religión registra casi todos los eventos principales de su historia como una enciclopedia, la geografía local, la historia, la práctica médica, la crianza de ganado, los hábitos y las costumbres locales. La lengua dongba es pictográfica, cada carácter es como una pintura con significado. Aun cuando algunos pueden leer estos caracteres puede que no entiendan los sutras. Por ello, los hechiceros dongba son quienes puede leer los sutras y tienen muchos conocimientos acerca de otras esferas de la vida, son importantes mensajeros de la cultura naxi.

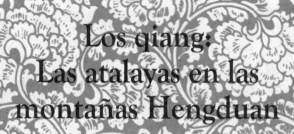

# Los qiang: Las atalayas en las montañas Hengduan

✔ Atalayas
✔ Rutas antiguas
✔ Puentes de cuerdas

El pueblo qiang tiene una larga historia, muy activo hace 3.000 años en el noroeste de China y en la llanura central. Hoy en día, muchos viven en Sichuan, con una población de 300.000 habitantes. La mayor parte de los qiang cultivan y cosechan frutas y crían animales. Varias generaciones de una misma familia vi-

Aldea qiang, comprende atalayas y residencias, un típico complejo constructivo qiang.

Atalaya de los qiang en Aba, provincia de Sichuan.

ven juntas. Los qiang profesan una religión primitiva, y toman ciertas rocas blancas por sus dioses, rocas que se pueden ver en dinteles, ventanas, atalayas y forestas.

Existe una leyenda según la cual en épocas remotas mientras migraban los antepasados de los qiang se encontraron con una tribu extranjera en la cuenca alta del río Minjiang. Avisados por un dios, los antepasados de los qiang usaron garrotes de madera y rocas blancas para frustrar el ataque de la tribu. Por gratitud, pero sin conocer la identidad de su dios salvador, los qiang consideraron desde entonces las rocas blancas como su dios.

Soleando el maíz en un patio interior..

En las altas montañas y quebradas donde viven los qiang, las rocas son abundantes y sirven como material de construcción de atalayas. Estas altas construcciones son impresionantes, están sólidamente construidas con el uso de escuadras y bloques rectangulares. A lo largo de la historia, estos edificios funcionaron como bastiones contra invasiones foráneas y fueron importantes en la lucha contra pandillas. La más antigua atalaya data de hace 1.200 años, en cambio la más joven tiene una historia de 500 años. La mayor parte de las atalayas han perdido sus cúspides, pero sus propósitos defensivos aún son claramente visibles. En general, las atalayas son para una

Puente de cuerdas.

familia o para una aldea. Una atalaya familiar no es alta, tiene justamente entre 10 y 20 metros de altura, son edificadas al frente de una montaña y están conectadas a la casa por el frente o por la parte de atrás. Las atalayas de los pueblos son más altas, aproximadamente de 50 a 60 metros de altura, y su objetivo estriba en la protección de todos los habitantes de la aldea. La mayoría de las aldeas qiang están construidas en la cima de una montaña o a la mitad de su altura, en una posición muy peligrosa con una vista panorámica.

Los qiang usan pasos de tablones y puentes de cuerdas para conectarse con el mundo exterior. Los caminos de tablas los construyen a lo largo de los bordes de los acantilados abriendo huecos en las rocas para sostenerlas. En la antigüedad, un paso de tablas tenía gran importancia militar. Los caminos de tablas los construían tanto en sitios muy boscosos como en laderas rocosas. Entre estos antiguos pasos de madera el que mejor se conserva se

halla en la ribera norte del río Zagunao en la comarca de Wenchuan de la provincia Sichuan. Se cuenta que este fue construido por Jiang Wei, un general del ejército del estado de Shu (221-263). Fue ampliado durante la dinastía Qing (1616-1911) hasta alcanzar los 158 metros de largo, 0,4-2 metros de ancho y de 10 a 20 metros por encima de un río de curso muy rápido. Solían ser una importante ruta hacia las regiones occidentales en la cuenca alta del río Minjiang.

Cuerda para deslizarse a través del río.

El cruce del río a través de cuerdas suspendidas es una costumbre que requiere cierta temeridad y fue establecida por los antepasados de los qiang. Las cuerdas suspendidas se llaman también puentes de cuerdas, una habilidad dominada por los ancestros de los qiang desde hace 1.500 años. El puente de cuerda de Weizhou en el condado de Wenchuan que pasa sobre los ríos Minjiang y Zagunao fue construido durante la dinastía Tang, tiene 100 metros de largo y 1,5 metros de ancho, es una emocionante experiencia pasar por él.

# Los va:
# Los toques de tambor que trascienden la historia

✔ Ensordecedores tambores
✔ Danzas fascinantes

Aldea de los va en Yunnan.

Los va se conocen también como *Ava*, lo que significa gente que vive en la cima de las montañas. Residen en los condados al suroeste de Yunnan, y cuentan con una población de 390.000.

Muchos de ellos viven entre los ríos Lancang (Mekong) y Nu (Salween), al sur de las montañas Nushan, un área muy montañosa con unas pocas llanuras, llamada Montaña Ava. Con un clima complejo, la región produce mucha madera, y también es el hábitat de muchas especies de animales salvajes. Los va registran su historia tallándola en madera; actividad a la que sus vidas están estrechamente relacionadas, como se aprecia en sus famosos tambores de madera.

Estos tambores de madera únicos, propios de los va, se consideran un dios protector con un poder espiritual supremo. Se usan para expulsar espíritus malignos, para convocar a los aldeanos a una reunión, para emitir señales de auxilio o llamadas al combate. Un tambor de madera está hecho de un tronco de 0,8 metros de ancho y 2 metros de largo.

Una familia va

Recolectando hojas de té.

En cada una de las aldeas, una o varias casas tienen en su interior tambores. Estas casas son también construcciones de valor simbólico para una aldea.

Una casa del tambor es un lugar sagrado, como los templos o monasterios para otros grupos étnicos. En el interior de estas casas, hay usualmente dos tambores, una hembra y un varón, fabricados a partir de la madera de diferentes árboles. El tambor varón es más pequeño que el femenino. El tambor masculino tiene un timbre estentóreo mientras que el sonido del femenino es melodioso y luengo.

La ceremonia de «arrastre del tambor» se enmarca dentro de un período propicio que comienza en diciembre. Se trata de un gran festival para los va. El «acarreo del tambor» dura alrededor de 10 días. El cacique de la aldea y el sacerdote, encabezando a un grupo de personas, suben a las montañas por la noche. Después de elegir un árbol fino, ofrecen sacrificios y disparos para expulsar los

Danza emocionante en la que se agita el pelo.

demonios. Después, el hechicero propina algunos hacha-
zos simbólicos y los jóvenes comienzan a tumbar el árbol.
A la mañana siguiente, todos los aldeanos acuden con sus
mejores ropas a unirse a ellos, siguiendo las instrucciones
del cacique, comienzan a arrastrar el árbol hacia la aldea.
Los hombres tiran de él y cantan, mientras que los ancianos y los niños les suministran comida, alcohol y agua.
Cuando el árbol llega a la aldea, se deja fuera por un par
de días, solo después de otra ceremonia y en un momento
propicio, el árbol es acarreado al interior de la aldea por
todos los aldeanos hacia el lugar indicado para que los
carpinteros trabajen en él. Normalmente, la fabricación
del tambor dura entre 6 y 10 días.

Después del «acarreo del tambor», le sigue la «subida
del tambor» que constituye una celebración que dura noche y día, y la esperan todos en la aldea. La «adoración de

Ceremonia religiosa de los va que incluye la danza del tambor de madera y el sacrificio de un buey.

los tambores», otra ceremonia religiosa, se hace en enero. Al aviso del chamán, los aldeanos se reúnen para iniciar una serie de actividades, en las que la gente emocionada toca el nuevo instrumento con grandes baquetas con el propósito de lograr cuatro tipos de sonidos diferentes.

Los va nacen cantantes y bailarines. Su tierra, en las Montañas Ava, es la patria de las canciones y las danzas. Con ocasión de un festival o de una gran ceremonia como el «acarreo del tambor» o durante la construcción de una casa, los lugareños celebrarán una gran fiesta que durará varios días. Cuando el tambor está listo, y después de haber pasado la prueba, será colocado sobre un anaquel en el interior de la casa del tambor. Todos ansían participar en este ritual.

Siempre que escuchan los toques del tambor, los va comienzan a bailar. Sus movimientos danzarios, heredados de sus ancestros, son fascinantes y se inspiran en su trabajo y su vida cotidiana.

# Los tujia: Viviendo en las altas montañas

✔ Alegres en los funerales
✔ Llanto en las bodas
✔ La antigua ópera *Nuo*

Los tujia se llaman a ellos mismos «*bi zi ka*» lo que significa «nacidos y criados localmente». Viven al oeste de Hunan, en Hubei, y en algunos condados en Sichuan. Su población es de 8,02 millones.

Muchos de ellos practican la agricultura, han recibido mucha influencia de los han en la economía y en la cul-

↑
Casas elevadas de los tujia, en la provincia Hubei.

tura, pero todavía preservan sus propias costumbres, que se pueden apreciar fundamentalmente en sus peculiares ritos funerarios, sus ceremonias nupciales y en el arte.

Sus ritos fúnebres probablemente los distingue de cualquier otra minoría étnica. Es una antigua tradición, «Alegrarse en un funeral y entristecerse en una boda». Los toques de tambor, la danza y el canto son comunes en un funeral tujia. Cuando los ancianos fallecen, creen que van al cielo por lo que consideran su muerte motivo de «pura felicidad». Hombres y mujeres, viejos y jóvenes, tocarán los tambores toda la noche en memoria del difunto. Su danza fúnebre se llama «*sa er he*». La gente subdividida en pequeños grupos, a menudo de varios individuos cada uno, bailarán sin descanso en el interior de un salón expresando su duelo al ritmo de tambores y canciones.

Usualmente, el «*sa er he*» cuenta con un percusionista y varios bailarines. Tocando el parche del tambor, el lateral y el borde, el tambor produce diferentes sonidos, con los que los bailarines cambian sus movimientos y su ritmo. Las canciones poseen varios contenidos: historia, estaciones, moralidad, amor, los versos de los niños o los recuerdos de los difuntos. Los cantantes y los bailarines están muy concentrados, mientras que los espectadores aplauden emocionados en coro.

La danza fúnebre es propia de los tujia.

En contraste con sus jubilosos funerales, los tujia tienen otra costumbre única: llorar en la boda de la hija. Cuando lloran, cantan temas sobre la tristeza que supone la separación de las jóvenes de su familia. Los llantos comienzan un mes antes de la boda, y alcanzan su clímax la noche antes del esperado acontecimiento.

La familia de la novia escoge a nueve chicas para que canten con la novia. Cantan diferentes canciones –algunas dedicadas a sus padres, otras dedicadas a los hermanos y cuñadas, algunas denunciando al casamentero responsable de que todo esto haya sucedido. Estas luctuosas canciones, comúnmente llamadas «canciones de las diez hermanas» hacen llorar a quienes las escuchan.

Se suelen comunicar con lo sobrenatural, sitios como este se ven a menudo en las casas de los tujia en Dejiang.

*Xi lan ka pu*, brocados de vivos colores cuya fabricación requiere gran habilidad.

Tejer los *xi lan ka* pu es una habilidad necesaria para toda joven tujia.

La más antigua danza tujia llamada *mao gu si*.

La ópera *Nuo* de los tujia, constituye un fósil viviente de las óperas chinas, proceden de ceremonias religiosas primitivas que otrora se celebraban con frecuencia en las aldeas de los tujia. Debido a su intensa adoración de los antepasados, la cultura *Nuo* se preserva bien. *Nuo* significa expulsión de espíritus malignos y demonios. La ópera *Nuo* ha sido transmitida no por libros sino por medio de enseñanzas verbales de los maestros a los estudiantes. Además de la enseñanza en el seno de la familia, aprenden de los más experimentados en la práctica cotidiana. Entre todos los estudiantes, solo los mejores adquieren las mejores habilidades secretas. El *Nuo* está formado por unidades separadas llamadas «tan». Cada «tan» tiene una compañía con seis a doce maestros. Cada compañía tiene un cacique; el resto de los miembros son como hermanos. El cacique ha de tener una memoria sorprendentemente buena y notables habilidades de actuación. Las compañías *Nuo* se mantienen activas después de la cosecha de otoño hasta la temporada de labranza del próximo año.

Todos los actores de una ópera *Nuo* usan máscaras, en las que está impresa la historia de los tujia. En los primeros años, los personajes de la ópera *Nuo* se podían distinguir por sus máscaras. La mayor parte de las máscaras son de madera; algunas modernas podrían ser de tela. Los diseños y los colores de las máscaras varían enormemente para hacer relucir el carácter de los personajes. Una ópera *Nuo* es una ceremonia religiosa y es usualmente interpretada en tres partes: altar de apertura, caverna de apertura y altar de cierre. El altar de apertura y el de cierre están dirigidos a la recepción y a la despedida de los dioses respectivamente, mientras que la caverna de la apertura es la historia que se representa. Cuando un tujia está enfermo, o es víctima de una fortuna adversa, puede rezar y hacerles promesas a los dioses Nuo. Luego cuando va a cumplir con sus promesas, lleva objetos sacrificiales como varillas de incienso y ofrendas de papel.

# Los zhuang:
# La minoría étnica con la población más numerosa

✔ El Festival de la Canción
✔ Labores de brocado
✔ Residencias elevadas sobre pilares

Con la mayor población de todos los grupos étnicos en China, alrededor de 16,17 millones de individuos, la mayor parte de los zhuang viven en la Región Autónoma Zhuang de Guangxi, aunque se ven algunos en las provincias de Yunnan, Guangdong y Guizhou.

Imponente escenario a lo largo del río Lijiang.

Su vasta tierra se llama también «el mar de las canciones». Todos ellos son buenos cantantes y en los festivales, cantan para comunicarse y expresarse. Celebran un festival de la canción todos los años, llamado «*ge xu*», esperado por cientos de ellos. El festival, de acuerdo con antiguas reglas, tiene la canción diurna y la nocturna. La canción diurna se celebra fuera en el exterior, en ríos y montes de jade, lo prefieren fundamentalmente los jóvenes y muchos concurren a este evento con la esperanza de encontrar pareja. Sin embargo, la nocturna se celebra en el interior de la aldea, y tiene como fin transmitirles a los más jóvenes los conocimientos sobre agricultura, así como sobre la vida y la historia local.

El festival del canto se celebra dos veces al año, en primavera y en otoño, pero el del tercer día del tercer mes según el calendario lunar chino es mucho más largo. Según sus costumbres, el tercer día del tercer mes es el momento de llorar a sus muertos, y también la oportunidad para que los mayores les cuenten a los jóvenes su historia familiar y sus normas. Después de la charla, le sigue el picnic, después las canciones y el entretenimiento. Este

Toda chica zhuang es una maestra en el canto y el baile.

espectáculo de canciones diurnas se ha convertido en un día festivo local con actividades bien organizadas, muy esperado por todos los aldeanos.

Todos los años, en vísperas de este festival, todos están ocupados preparando arroz pegajoso de cinco colores y huevos multicolores hechos en todas las casas y hermosas pelotas de brocados fabricadas por las jóvenes.

En el festival, todos se esfuerzan por aprender de memoria su canción a la diosa «Tercera hermana Liu», con la

Herramientas y técnica centenaria de tejido de las mujeres zhuang.

esperanza de recibir su bendición y una mayor habilidad para el canto. Para ellos, la hermana es símbolo de sinceridad, belleza, amor, sabiduría y aptitud. Después de la ceremonia, los jóvenes dan a conocer su voz en interpretaciones de pareja, «conversando» con el sexo opuesto con el fin de encontrar pareja.

Para los jóvenes, el tercer día del tercer mes es el día de San Valentín. Chicos y chicas se encuentran, por medio del canto expresan sus sentimientos y exploran la

Las pelotas de seda constituyen un recuerdo
o prueba de amor para los jóvenes de la
nacionalidad zhuang, se agitan y lanzan
al candidato escogido para una cita en el
Festival de la canción.

Viviendas de cimientos elevados

personalidad, aptitudes y apariencia del otro. Mientras que ambos hacen eso, sus amigos se congregarán a su alrededor para mostrar apoyo. Al atardecer, ambos pueden hallar un lugar tranquilo para continuar. Si la chica es feliz con el muchacho puede, en señal de amor, zarandear y lanzarle la pelota de seda hecha por ella.

Además de las emocionantes interpretaciones de la Ópera Zhuang, actividades comerciales de pequeña escala pero amenas le confieren una atmósfera de festividad al evento. Sin embargo, lo más provechoso del festival del canto son desde luego los lazos matrimoniales que se estrechan entre los enamorados.

Las mujeres zhuang son inteligentes y hábiles. Gracias a ellas, el brocado zhuang local es tan famoso como los otros tres mejores de China. Únicos por su factura, y de 1.000 años de antigüedad, el brocado zhuang se distingue por sus vivos colores y su excelente elaboración, perfectos para la confección de ropa, edredones y bolsos.

Los zhuang prefieren las casas de madera elevadas en montes y ríos. Debido al clima local lluvioso, sus casas están apoyadas en pilares de madera de un metro de altura, con pisos de tablones. El espacio bajo la casa está destinado a mantener animales domésticos y sirve también de almacén. Estas viviendas elevadas de madera son un invento maravilloso de sus ancestros, perfectamente adaptadas a su entorno local.

# Los li:
# Al borde del mundo

✔ Tatuajes a punto de desaparecer
✔ Bailes para recibir la bendición

La mayor parte de los li, un grupo étnico del sur de las Montañas Nanling, de 1,24 millones de personas en total, se pueden encontrar en las regiones centrales y meridionales de la provincia Hainan. Su historia en la isla de Hainan se remonta a hace 3.000 años. Hoy en día, vemos todavía en los cuerpos de algunas de las mujeres de mayor edad los restos de una práctica muy antigua, tatuajes en el rostro, los pechos, manos y piernas. Algunos consideran estos tatuajes como «la versión de los frescos Dunhuang en el cuerpo humano».

Según las costumbres, el tatuaje marca el fin de la edad juvenil y el comienzo de la vida adulta. Las adolescentes son tatuadas en días propicios, por una anciana experimentada. Además de la madre de la muchacha, está presente una asistente que suele ser una mujer de mediana edad. Las herramientas nece-

sarias para el tatuaje son simples, una espina, un pequeño garrote y un cuenco con tintura.

Hay varias versiones sobre el origen de esta práctica. Una popular que relaciona esta práctica con sus antepasados, creen que una mujer sin tatuajes no sería aceptada por los ancestros después de la muerte, por lo que pasaría a ser un fantasma errabundo de la jungla.

Sus tatuajes difieren de una región a otra, de un clan a otro. Algunas mujeres tienen complicados diseños en el rostro, el cuello, el cuerpo, los brazos y en la cintura. Mientras que otras prefieren diseños más sen-

Una mujer li según las costumbres está soleando el arroz recién cosechado.

Pequeña aldea de los li en la isla de Hainan.

cillos. Por cuanto los li no disponen de lenguaje escrito, estos tatuajes registran su historia e información cultural, funcionan también como el tótem del clan y como sello de identidad. Sin embargo, debido al impacto del estilo de vida contemporáneo y el cambio de valores, el tatuaje ha pasado a ser una práctica antigua que está desapareciendo entre las mujeres li. Los pocos tatuajes

que aún se pueden ver son invaluables reliquias culturales.

Además de los tatuajes, las danzas de los li son muy
especiales, las practican en las ceremonias nupciales,
cuando se construyen casas, en los festivales o durante
los momentos de esparcimiento. Entre sus danzas, la
más conocida se llama «danza de la buena fortuna», una
danza popular en Tongshi y en Maoyang. Marzo, julio, y
octubre tienen días de buenos auspicios, conocidos como
los «días del buey» por los li. Los ancestros de los li creen
que todo puede ser o bueno o malo. El día del buey es
bueno, y bailar en marzo atrae la buena fortuna a su ganado. Danzar en julio es bueno para que el arroz crezca,
puede fomentar una cosecha extraordinaria de todos los

El tatuaje tiene una larga
historia para el pueblo de
los li, diferentes ramas lo
hacen de disímiles formas.
Actualmente, solo los de
mayor edad conservan esta
práctica.

La danza del palo de bambú, muy popular entre
los jóvenes de nacionalidad li.

Estilo antiguo de tejer el brocado li.

cultivos ese año. Danzar en octubre atrae la prosperidad, la buena salud y la paz. También la danza del palo de bambú es popular, y refleja costumbres locales. En un festival o después de la cosecha, los li danzan según este estilo al son de gruesos bambúes golpeados por músicos agachados. Las bailarinas avanzan, retroceden y saltan vigorosamente siguiendo el ritmo entre los bambúes. Este estilo de baile único, característico de la cultura li, ha pasado a ser una forma amena de entretenimiento que frecuentemente adoptan los turistas más entusiastas.

# Los gaoshan:
# Llamados del Monte Ali

✔ Ropas pintorescas
✔ Una enérgica danza basada
en «sacudidas del cabello»
✔ Copas-gemelas de vino ofrecidas con la
mayor sinceridad

El nombre de gaoshan designa a todos los pueblos originarios de la provincia china de Taiwan, incluye a los amei, taiya, bunong, lukai y yamei, que habitan en diferentes regiones y hablan diferentes dialectos. Muchos viven al este de Taiwan o en las islas cerca de la costa este de China. Algunos gaoshan, alrededor de

Casas de los yamei, una rama de los gaoshan

Traje hecho de cáñamo, tela, conchas y abalorios, perteneciente a la colección de la Universidad Central de las Nacionalidades.

4.000, viven en la provincia de Fujian.

La cultura gaoshan se refleja mejor en su ropa. En tiempos antiguos, por cuanto consideraban hermosa la desnudez, sus ancestros no usaban ninguna ropa. Las mujeres usaban una prenda de vestir o una falda de paja para cubrir sus partes privadas mientras que los hombres usaban piezas de piel animal alrededor de su cintura. Actualmente, además de los tatuajes en sus rostros y cuerpos, a los hombres les gusta usar hermosas plumas en sus cabezas, y a las mujeres les gusta usar flores en sus cuerpos decorados con conchas. Las mujeres de pingpu prefieren usar blusas cortas de cáñamo y faldas de piel. El material de su ropa, además de piel y corteza de árbol, es lienzo de fibras de cáñamo con diseños coloreados. La ropa de los que viven en otros lugares tiene similitudes. Los taiya, saixia y los amei del norte de Taiwan tienen camisas desmangadas, chales, blusas y pretinas. Los bunong de Taiwan central usan chalecos de piel de venado, bolsos sobre el pecho y faldas negras. Los paiwan, lukai y beinan del sur de Taiwan prefieren camisas de mangas largas y faldas de mediana longitud. Entre todos estos grupos, los yamei tienen la forma más primitiva de ropa. Sus hombres usan chalecos abotonados al frente y ropa interior con forma de T, mientras que las mujeres tienen chalecos y faldas lisas. En invierno, usan una pieza de ropa cuadrada para envolver sus cuerpos.

Las túnicas de conchas constituyen un logro artístico de los gaoshan; están hechas de conchas enhebradas y cocidas en línea vertical a las blusas con fines deportivos.

Vestidos y engalanados, cantan y bailan.

Tales túnicas contienen de 50.000 a 60.000 conchas, requieren mucho esfuerzo y tiempo. En el pasado, este tipo de túnica simbolizaba fortuna y poder, y era usada solo por el cacique de una tribu o un clan. En la actualidad, solo el museo de minorías étnicas de la Universidad Central de las Nacionalidades y el museo antropológico de la Universidad de Xiamen disponen cada uno de una en sus colecciones.

Las mujeres gaoshan son buenas para teñir la ropa de cáñamo. A ellas les gusta decorar la parte anterior de sus túnicas, las mangas, los pañuelos y los mandiles con bordados exquisitos, conchas u objetos con forma de huesos de animal. Su ropa nacional mezcla fundamentalmente los colores negro, blanco, rojo y amarillo, con objetos decorativos en diferentes partes de la ropa. Sus ropas nacionales están destinadas a los días festivos, pero en la vida diaria los gaoshan usan simplemente ropa de estilo han o trajes de estilo occidental.

Los gaoshan tienen danzas muy antiguas. Sus danzas reflejan diferentes actividades cotidianas como la pesca, la caza, la tala de árboles, el desyerbe, la cosecha, las bodas y los sacrificios. En general, sus danzas de grupos se dividen en tres categorías: danzas para ceremonias de adoración, danzas para beber vino y danzas de imitación.

Las danzas para las ceremonias de adoración son efectuadas por un grupo en un espacio abierto, con decenas o cientos de individuos. Las danzas para el consumo de vino se realizan de manera improvisada en un patio por un pequeño grupo. Las danzas de imitación son también para bailes de grupo pero mucho más espectaculares. Las tres categorías usan muy pocos o casi ningún instrumento musical. Ocasionalmente pueden usar la percusión para indicar el comienzo y el fin de los anuncios, gritan al ritmo del gong para indicar que han de moverse hacia adelante o dar la vuelta, sin dejar nunca de cantar y bailar al unísono.

La danza basada en «sacudidas del cabello» es popular entre las mujeres yamei de la isla Lanyu, una danza típica de la cultura del océano. En el pasado, ellos nunca danzaban durante el día. Solo lo hacían bajo la luz de la luna. En Lanyu, se dice que la humedad y el sol esplendente contribuyen a que las mujeres adquieran cuerpos gráciles y bien formados. Todos ellos tienen largos cabellos de color negro azabache y son dados a caminar con los pies descalzos. En una noche de luna, se reúnen en una playa de guijarros para bailar «sacudiendo el pelo».

Ceremonia de la Gran Cosecha.

Al comienzo, forman fila para cantar mientras se menean suavemente, acompañados de los sonidos musicales emitidos por los guijarros cuando son pisados. Entonces, se sujetan de las manos, se inclinan hacia adelante, sacuden su largo cabello hacia adelante, cantan y avanzan hasta que su pelo roza el suelo. Luego, doblando ligeramente las rodillas, mueven sus cabezas vigorosamente hacia atrás, extendiendo sus cabellos hacia el cielo, deteniéndose por un instante antes de que este caiga sobre sus espaldas. En la vida dura de esta isla, esta danza les proporciona placer y alegría. Es una forma de demostrar juventud. El largo cabello negro se proyecta hacia arriba como fuego resplandeciente.

Salvo la rama yamei, al resto de los gaoshan les gusta beber. Beben con entusiasmo en muchas ocasiones: bodas, nacimientos, construcción de una nueva casa, festivales, agricultura, caza y pesca o por razones religiosas. En sus ceremonias relacionadas con la cosecha, que se hacen en agosto en luna llena, la gente trae vino y comida de sus hogares para pasar un buen momento mientras presencian espectáculos de canto y baile. Usan copas de madera, bambú o cerámica; para ellos las copas de madera con grabados ocupan un lugar muy especial; consisten en dos o tres copas unidas en la base de tal modo que dos o tres personas pueden beber de ellas simultáneamente. Las copas gemelas se pueden ver sobre todo en recibimientos de invitados o en bodas. Dos personas se ubican hombro con hombro, uno sosteniendo la copa con su mano izquierda mientras que el otro la sostiene con su mano derecha. Ambos elevan juntos la copa para beber. Con el gesto de beber de tales copas, los gaoshan expresan amistad, sinceridad y buena voluntad. Entre los paiwan, no solo los recién casados usan estas copas, también lo hacen amigos y parientes. Si no levantan las copas al mismo tiempo, el vino se derramará. Estas curiosas copas representan un símbolo de la equidad y el compañerismo, un símbolo de que tanto la fortuna como las dificultades se comparten.

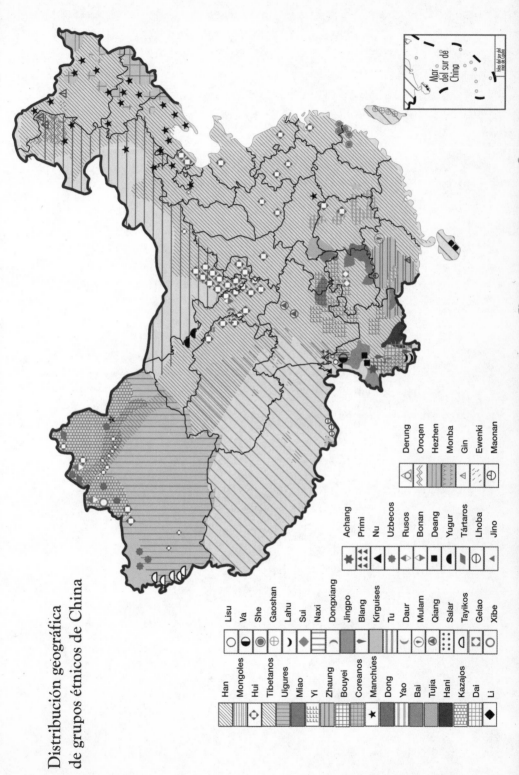

Distribución geográfica
de grupos étnicos de China

| | |
|---|---|
| Han | |
| Mongoles | |
| Hui | |
| Tibetanos | |
| Uigures | |
| Miao | |
| Yi | |
| Zhuang | |
| Bouyei | |
| Coreanos | |
| Manchúes | |
| Dong | |
| Yao | |
| Bai | |
| Tujia | |
| Hani | |
| Kazajos | |
| Dai | |
| Li | |

| | |
|---|---|
| Lisu | |
| Va | |
| She | |
| Gaoshan | |
| Lahu | |
| Sui | |
| Naxi | |
| Dongxiang | |
| Jingpo | |
| Blang | |
| Kirguises | |
| Tu | |
| Daur | |
| Mulam | |
| Qiang | |
| Salar | |
| Tayikos | |
| Gelao | |
| Xibe | |

| | |
|---|---|
| Achang | |
| Primi | |
| Nu | |
| Uzbecos | |
| Rusos | |
| Bonan | |
| Deang | |
| Yugur | |
| Tártaros | |
| Lhoba | |
| Jino | |

| | |
|---|---|
| Derung | |
| Oroqen | |
| Hezhen | |
| Monba | |
| Gin | |
| Ewenki | |
| Maonan | |

Mar del sur de China

Islas del sur del mar de China

133